PETIT FEU

André Marois

Petit feu

Nouvelles noires

la courte échelle

Les éditions de la courte échelle inc.
160, rue Saint-Viateur Est
Bureau 404
Montréal (Québec) H2T 1A8
www.courteechelle.com

Direction littéraire : Julie-Jeanne Roy
Révision : Luc Asselin

Dépôt légal, 1er trimestre 2011
Bibliothèque nationale du Québec
Copyright © 2011 Les éditions de la courte échelle inc.

La courte échelle reconnaît l'aide financière du gouvernement du Canada par l'entremise
du Fonds du livre du Canada pour ses activités d'édition. La courte échelle est aussi inscrite
au programme de subvention globale du Conseil des Arts du Canada et reçoit l'appui
du gouvernement du Québec par l'intermédiaire de la SODEC.

La courte échelle bénéficie également du Programme de crédit d'impôt pour l'édition
de livres — Gestion SODEC — du gouvernement du Québec.

**Catalogage avant publication de Bibliothèque et Archives nationales du Québec
et Bibliothèque et Archives Canada**

Marois, André

Petit feu

ISBN 978-2-89651-318-5

I. Titre.

PS8576.A742P47 2011   C843'.54   C2010-942312-7
PS9576.A742P47 2011

Imprimé au Canada

À Lyne

Ils n'avaient rien fait de mal,
puisqu'ils avaient tout fait très bien.
Edward Abbey,
LE GANG DE LA CLEF À MOLETTE

Petit feu

À Han, qui sait si bien raconter les histoires.

La première arrivée sur les lieux fut Malika. L'actrice s'était fait violence pour enfin accepter l'invitation. Elle en avait discuté des heures avec son frère avocat. Ils avaient pesé le pour et le contre de cette folle aventure. Il lui avait déconseillé de participer à cette «mascarade ridicule et macabre», telle qu'il la nommait. Malika avait répliqué qu'elle ne pouvait refuser. La décence le lui interdisait. L'amitié aussi.

Devant la grande maison en pierres grises, elle sonna un coup bref puis, sans attendre, poussa la lourde porte de chêne et pénétra chez Rose. Ce qui frappait d'emblée, c'était l'odeur. Malika adorait retrouver ce mélange d'encens, de pommes mûres, de chocolat et de cire qui définissait si bien la propriétaire de l'endroit. Elle suivit la file de bougies alignées sur le plancher de bois franc et se rappela sa première visite, dix ans plus tôt, dans des circonstances si différentes. Rose venait de remporter le Prix du Gouverneur général pour son magistral essai sur Philip Roth : *Sans tache et sans complexe*. L'enthousiasme unanime des jurés n'avait fait que confirmer l'accueil dithyrambique des critiques et des lecteurs, au Québec comme en France. Les traductions s'étaient multipliées. Le maître en personne lui avait adressé une longue missive la félicitant.

Malika s'arrêta : la lettre manuscrite se trouvait devant elle, encadrée avec sobriété. La signature du célèbre écrivain la fit frissonner. Rose lui avait confié si bien connaître l'œuvre de l'Américain, qu'elle s'imaginait parfois avoir déjà couché avec lui. Son intimité était devenue tellement familière.

Malika déboucha enfin dans un immense salon double où des tables avaient été apprêtées, couvertes de nappes blanches et d'une multitude de plats exotiques. La lumière tamisée créait l'atmosphère idéale pour cette occasion.

— Bonsoir, Malika chérie.

Rose était étendue sur une causeuse près de l'oriel. De sa main décharnée, elle adressa un léger signe à la visiteuse. Malika s'approcha, déposa ses tulipes blanches sur la table basse et serra Rose dans ses bras. Elle fit un effort pour ne pas éclater en sanglots. Mon Dieu, Rose était si maigre. Que dire ?

— Ma chérie, je suis heureuse que tu sois venue. Tu ne changes pas, je trouve. Tu rayonnes.

La maîtresse de maison lui simplifiait la tâche. Inutile de répéter pourquoi elles étaient là. Le carillon tinta. Malika se proposa pour accueillir les nouveaux venus.

Un couple se présenta. Elle les avait déjà rencontrés, bien sûr, mais ne les connaissait que de vue. Les Timbert, mari et femme, dirigeaient la galerie du même nom, rue Sainte-Catherine. Ils avaient replacé l'actrice. Ils s'embrassèrent avec froideur, chuchotant des bonsoirs.

Une pièce attenante au salon servait de vestiaire. Chacun y abandonna son manteau. Un air de piano monta alors de la grande salle. Ils reconnurent le jeu de Glenn Gould interprétant les *Variations Goldberg*.

Malika laissa les galeristes, car on sonnait à la porte. Elle se hâta vers l'entrée. Recevoir les invités lui plaisait, ça lui évitait de réfléchir à la tristesse de la situation. Tous ceux, nombreux, qui franchirent le seuil affichaient la même figure lugubre et inquiète. Mais on n'avait pas droit d'avoir de la pitié.

Des romanciers s'amenèrent, célèbres ou à peu près. Des dramaturges montants, un couple de poètes gay, plusieurs critiques de tous âges, un auteur de bandes dessinées, un scénariste irlandais, un scripteur de gags, une traductrice polonaise et trois professeurs de littérature à moitié soûls : voilà pour la société littéraire.

On se tutoyait d'emblée, s'embrassant même si on s'était déjà tous haïs, trahis, quittés. Une amnistie provisoire s'imposait. Malika indiquait le bout du couloir d'un signe du menton. Oui, Rose les attendait là-bas.

Les gens de cinéma étaient nettement plus bruyants. Le petit monde de Malika débarquait comme à une première, en robe Marie Saint Pierre et veston Dubuc, parlant fort, riant faux. Quatre réalisateurs et un documentariste prolixe, une demi-douzaine de comédiens, un peu moins de comédiennes, un directeur photo, une productrice liftée et son mari oscarisé, un distributeur râleur et quelques inconnus fauchés. Malika avait travaillé avec chacun. Elle aimait leurs excès, même s'ils l'agaçaient souvent.

Puis vinrent quelques personnalités des médias écrits et télévisuels, suivies par un caricaturiste triste, trois hommes politiques, deux restaurateurs pansus, un banquier, un paysan rougeaud et un ébéniste. Rose l'orpheline n'avait jamais eu de famille. Ses amis en tenaient lieu.

Malika leur demandait leur nom et leur occupation. Elle sentait que ça les aiderait à se mêler.

Le dernier arrivé fut un jeune homme timide qui se nommait Paul.

— J'aime Rose, voilà tout, glissa-t-il à l'hôtesse improvisée.

Ensemble, ils rejoignirent les convives qui trinquaient. Un infime claquement de mains déclencha une série de « chut ! ». La voix de Rose n'était qu'un filet. L'assemblée se groupa autour d'elle.

— Je veux que vous soyez heureux ce soir, alors je le serai aussi. Je vous remercie de votre amour et de votre fidélité. Mangez, buvez, faites comme chez vous. Je vais me retirer dans ma chambre. Mais je resterai avec vous…

Un sanglot se fit entendre. Les actrices ont les nerfs sensibles.

— Tout se passera bien. Demain, je ne serai plus là, mais je serai partie dans la joie.

Un écrivain soutint Rose du côté gauche et le banquier se plaça à sa droite. Les arts et le fric l'accompagnèrent dans sa chambre.

On attendit qu'elle soit installée, puis chacun, tour à tour, monta la saluer une dernière fois.

Sur la table de chevet, Malika remarqua la petite boîte de pilules, mais elle s'abstint de tout commentaire. Les traits tirés de Rose, ses grimaces de douleur quand elle remuait un bras, cette souffrance palpable : souhaiter mourir devenait la seule issue envisageable. Elle s'imposait.

— Adieu, ma Rose. Je suis fière d'avoir été ton amie pendant toutes ces années.

— Moi aussi, ma chérie. Merci.

— Tu te souviens quand on s'est rencontrées ?

— Oui, Malika... Il y a trente ans. Tu venais d'entrer dans la vingtaine et moi, dans la trentaine.

— Mais tu paraissais plus jeune que moi.

Une fois descendue au rez-de-chaussée, Malika avala une longue gorgée de chablis frais. Elle n'avait pas faim, mais elle se serait volontiers enivrée.

On ignorait combien de temps l'on resterait ici et cela rendait la situation d'autant plus tendue. Il s'agissait maintenant d'attendre, de patienter jusqu'à ce que mort s'ensuive. Rose avait téléphoné à chacun de ses convives pour les inviter et leur exposer son ultime projet. Elle avait décidé de partir avec l'aide de cachets que lui avait procurés un médecin dans un hôpital américain. Elle ne leur demandait rien d'autre qu'une présence lors de son dernier souffle, entre gens de bonne compagnie. Elle pourrait s'éteindre, le sourire aux lèvres, en écoutant leurs bavardages d'artistes, leurs emportements passionnés. Cela calmerait à jamais cette insupportable maladie qui la rongeait depuis cinq ans. Rose aurait pu attendre que la mort vienne d'elle-même, mais elle avait décidé d'agir pendant qu'elle demeurait maîtresse de son destin.

Malika proposa un verre à Paul, qui se tenait dos à elle à la fenêtre, le regard perdu vers le dehors. Elle engagea la conversation. Il fallait meubler l'espace-temps.

Ce garçon détonnait dans l'assemblée. D'où sortait-il ?

— Je suis un lecteur, un admirateur de Rose. Je pense que je suis tombé amoureux d'elle à travers ses livres. Je les ai relus des centaines de fois. Mais là, je ne sais pas quoi penser. Elle doit partir. Nous devons rester. C'est injuste. J'ai peur de déraper sans elle.

Il s'exprimait avec douceur et méticulosité, choisissant chaque terme avec délicatesse. Ils discutèrent des romans de Rose. Paul en récitait des passages par cœur. Le génie littéraire de l'auteure s'était affirmé d'œuvre en œuvre. Les mots chez elle devenaient des armes, des alliés, des coups ou des caresses. Ils vous glissaient dessus, puis revenaient, s'insinuaient en vous, s'y lovaient à jamais. Les heures passèrent lentement. Les plats se vidaient, les bouteilles aussi, mais il en restait une quantité. Rose avait prévu large, elle connaissait bien ses camarades.

Parfois, l'un des convives montait, puis redescendait en souriant.

— Elle dort.

Rose avait avalé ses drogues avec un peu de cognac. Cela agissait-il? Personne ne pouvait en être sûr. Le paysan trouvait ce trépas un peu longuet; les gens de la ville adoptaient des remèdes trop compliqués pour lui. Le dramaturge prenait des notes mentales en observant les poses des dames, la fatigue des messieurs. Un critique se lança dans un long exposé sur Shakespeare, entremêlant Hamlet et un refrain du chanteur Katerine. On l'écoutait à peine.

Les bougies s'éteignaient une à une. Des veilleuses s'allumaient alors comme par enchantement.

À leur tour, Malika et Paul rendirent visite à Rose. Son souffle semblait régulier. Son pouls battait paisiblement. En passant devant l'entrée, ils aperçurent quelques convives qui s'en allaient déjà. Ceux-là avaient dû croire que le décès surviendrait plus tôt. La lenteur de l'agonie les lassait. Une grosse journée les attendait demain. Un rôle à apprendre, une subvention à réclamer.

Pour les autres qui patientaient, que faire d'autre que de traîner d'une chaise à un canapé? Ils avaient tous promis à Rose. On ne meurt qu'une fois, voyez-vous.

Les heures s'égrenèrent. La demeure de plus en plus silencieuse se vidait. À quoi bon rester sur place, après tout? Rose ne se réveillerait plus. Elle avait connu son endormissement tel qu'elle le désirait, près des siens. Elle s'éteindrait dans son sommeil. On en aurait tous rêvé.

Des couples s'étaient formés et disparaissaient dans la noirceur, enlacés. La vie défaisait ainsi sa vieille ennemie la mort. Elle lui adressait un pied de nez.

Bientôt, ils ne furent plus que dix, puis cinq: un acteur, le scripteur, l'ébéniste, Paul et Malika. Ils s'étaient installés ensemble sur des poufs confortables couverts de toile rose et jaune. L'absence de dossier forçait à se maintenir éveillé. On sirotait du champagne et du thé à la menthe, luttant pour garder les paupières ouvertes. On parlait encore de celle, là-haut, qu'on n'oublierait jamais.

À l'aube, la comédienne et le jeune lecteur étaient seuls dans la grande maison.

Ils grimpèrent la volée de marches sombres, s'assirent sur le jeté de lit, écoutèrent. Rose ronflait faiblement, de façon irrégulière. Son ronron s'arrêtait, puis reprenait, sans aucun rythme. Ils prirent peur.

Son médicament aurait dû agir depuis longtemps. Et si elle ne mourait pas? Et si elle se réveillait et que c'était pire? Que devaient-ils faire? La panique les saisit.

Ils se sentirent défaillir. Ils ne pouvaient plus demeurer ainsi à la regarder. Ils étaient responsables d'elle, quoi qu'il advienne. Pas question de l'abandonner de la sorte.

Il fallait appeler le 911. Paul sortit son cellulaire et commença à composer, mais Malika interrompit son geste.

— Attends... Que vas-tu dire ?

— La vérité.

L'actrice s'y opposa. La police ne manquerait pas de venir avec les ambulanciers. Les flics découvriraient les restes de la fête. Ils poseraient des questions. On leur demanderait de dresser la liste des invités. Paul et Malika deviendraient le couple fou et dénonciateur de leurs amis. Ils imaginaient déjà les unes des quotidiens. Des dizaines de vies seraient fichues, des carrières bousillées, des personnalités anéanties. Ils finiraient en prison ou avec un couteau dans le dos.

Le jeune homme demeura interdit. La situation changeait de perspective. Ils se retrouvaient dans la peau de beaux salauds. Regarder ainsi leur amie mourir à petit feu sans rien faire, ça relevait du droit pénal. On les accuserait de non-assistance à personne en danger. Ou d'incitation à l'euthanasie, ce qui reste un délit au Canada.

— On fait quoi, alors ? s'écria Paul.

Il parlait fort, sans retenue. Il proposa de prévenir les secours et de s'enfuir avant leur arrivée, mais Malika refusait de quitter Rose. Allait-elle revenir à la conscience pour retrouver ses souffrances ? Son état paraissait s'améliorer. Elle gémissait maintenant. On aurait dit qu'elle s'apprêtait à ouvrir les yeux. Plus on attendait et plus Rose risquait de rater sa sortie de scène.

— Tu peux me laisser seule un instant? lança l'actrice.

Paul s'éclipsa, respectant son besoin d'intimité. Malika se pencha alors sur son amie, saisit un oreiller et le pressa sur son visage. Elle compta jusqu'à vingt-cinq, puis ôta le coussin. Le cœur de Rose avait enfin cessé de pomper, ses poumons demeuraient inertes. Elle affichait un air serein, on aurait dit qu'elle souriait.

— Cette fois-ci, Rose, c'est pour l'éternité.

Malika se précipita dans les toilettes pour y vomir tout ce qu'elle avait avalé cette nuit-là.

Sortie à Hochelaga

J'avais besoin de jaser avant de rentrer chez moi.
Quand je n'ai pas atteint mon quota de parlotte, ma
blonde me trouve assommant et la soirée dégénère.
Alors, je prends les devants. Je m'arrête dans la
première taverne en vue et je raconte mon histoire,
toujours la même.

Je me suis installé sur un tabouret pour m'adresser
au plongeur derrière le bar. Occupé à récurer des
casseroles, il n'a pas bronché. Moi, je savais que mon
récit allait bientôt le captiver. C'était la trois cent
cinquantième fois que je le répétais.

« Il y a deux ans, j'en avais tout juste seize et comme
tous les gars de mon âge, je m'étais arrangé pour
passer mon permis le plus tôt possible. Un soir, j'ai
profité de l'absence de mon père pour lui emprunter
son pick-up sans demander la permission. Le bon-
homme roulait dans un énorme Ford F-150 qu'il
utilisait pour tirer sa roulotte. Une version 5,4 litres
"manuelle", car il trouvait que "les automatiques, c'est
pour les moumounes".

« Je savais à peine tenir un volant, comprends-tu.
Alors, imagine-moi en train de changer les vitesses.

Ça craquait, le moteur rugissait et l'engin de deux tonnes progressait par bonds impressionnants. Si mon père l'avait entendu, il m'aurait assassiné.

« En fait, j'avais donné rendez-vous à une fille et je comptais l'impressionner avec mon gros char. J'ai embarqué Mina vers dix-neuf heures, pas loin de chez moi, à Anjou. Ensuite, on a foncé vers Hochelaga pour assister à un concert au bistro In Vivo, rue Sainte-Catherine. J'haïs le jazz pour mourir, mais la belle Mina pouvait fondre sur un solo de saxophone. Après ça, je comptais la culbuter sur la banquette du 4 x 4. C'est l'avantage avec les cabines allongées : t'as de la place pour étirer les jambes.

« Le trajet s'est assez bien déroulé. Mina s'est abstenue de tout commentaire sur ma technique de pilotage. Pour masquer les montées de régime involontaires infligées au V8, j'avais mis 50 Cent dans le tapis.

« La chance était de mon côté, j'ai trouvé une grande place au coin de la rue Leclaire. Pas besoin de faire mon stationnement parallèle avec cet énorme camion.

« On a assisté au show que Mina a qualifié de "malade". Je me suis ennuyé pour deux, surtout que je n'ai bu qu'une bière, car je n'avais pas envie qu'on me retire mon permis tout neuf.

« Mina devait être de retour avant minuit et moi, j'avais hâte d'échanger plus sérieusement avec elle. On avait du temps en masse. Mais à l'instant précis où j'ai glissé la clé dans le contact, trois gars masqués ont surgi d'une ruelle. Ils ont entouré notre véhicule en gueulant comme des damnés. L'un d'eux faisait tournoyer une chaîne autour de sa tête. Un autre brandissait un 2 x 4. Le troisième était armé d'un tesson de grosse Belle Gueule. Vu le diamètre de leurs pupilles, ils n'avaient pas consommé de la camomille.

« Mina m'a hurlé de démarrer. »

À ce stade-ci de ma narration, tout le monde est pendu à mes lèvres. Le plongeur affichait une mine indifférente, mais il avait fermé le robinet pour ne pas rater un seul de mes mots. J'ai continué en baissant la voix.

« J'avais surtout la chienne que ces sales s'en prennent au F-150. De toute façon, ils étaient mille fois trop gelés pour que je parlemente.

« J'ai enclenché la première et pesé sur le gaz en relâchant la pédale d'embrayage d'un coup sec. Le pick-up a effectué un saut de deux mètres en avant, obligeant les trois débiles qui nous viraient autour à s'écarter. Dans le rétroviseur, j'en ai aperçu deux qui nous couraient après en agitant leurs bras tatoués de trous de seringues.

« Mina s'est recroquevillée dans son siège. Elle n'a pas desserré les dents du retour. J'ai chauffé sans ralentir jusqu'à Anjou. J'ai dépassé la maison de Mina avant de m'arrêter à gauche de la chaussée, puis j'ai tenté une approche tactile. Elle avait encore le cœur qui battait et m'a repoussé gentiment, avant de descendre.

« Je n'ai pas insisté. Je ne suis pas un sauvage, non plus. La soirée avait été assez riche en émotions sans en rajouter. Sauf que ça ne faisait que commencer. »

Rapide coup d'œil à mon plongeur. Ça marche à tous les coups, le voilà captif.

« En passant derrière le Ford, Mina a poussé un cri. Elle s'est précipitée sur ma portière où elle a tambouriné comme une folle. Qu'est-ce qui lui prenait? Sa libido venait de se réveiller? La maladie des excités était contagieuse?

« J'ai bondi de mon siège et j'ai couru derrière le pick-up. J'imaginais déjà la scène : un des sacraments d'Hochelaga avait brisé un feu arrière et mon père arrivait le lendemain matin à l'aube. La vérité était pire. L'index tendu de Mina m'a désigné la chaîne qui était restée coincée dans le pare-chocs. L'horreur pendait à son extrémité : enroulée entre les maillons se trouvait une main droite d'homme. La chaîne avait dû se coincer quand les enragés nous tournaient autour et mon démarrage brusque l'avait arrachée avec l'extrémité du bras du gars.

« Le voyage du retour ne l'avait pas arrangée. Les doigts avaient tellement raclé la chaussée qu'il manquait presque toutes les troisièmes phalanges.

« Mina m'a demandé ce que je comptais faire de "ça". Elle a suggéré de prévenir la police, mais j'ai refusé. Comment je pouvais expliquer à des flics que j'avais "démanché" la main d'un hostie de junky? Mina a insisté : elle voulait appeler les hôpitaux pour qu'ils tentent une greffe. Elle avait déjà vu un reportage à la télé où des médecins avaient recousu le sexe d'un homme, coupé par sa femme jalouse. Le gars pouvait de nouveau bander, paraît-il.

« Je n'ai pas une âme de saint-bernard, mais je me suis dit que je pourrais en profiter pour inviter Mina chez moi. Alors, j'ai détaché la chaîne avec la main et j'ai glissé le tout dans un sac en plastique qui traînait là. J'ai fait signe à Mina de m'accompagner. Elle a vérifié l'heure sur son cellulaire. Il lui restait trente minutes avant son couvre-feu. Elle m'a suivi.

« On a placé la main ensanglantée dans le congélateur et commencé à téléphoner aux urgences les plus proches d'Hochelaga. Personne ne s'était présenté avec un moignon déchiqueté. On a élargi le rayon de nos appels et contacté, l'un après l'autre, tous les hôpitaux de Montréal. Aucun type n'était venu se faire recoudre.

«J'ai dit à Mina qu'il faudrait patienter jusqu'au lendemain, vérifier si on parlait de l'estropié aux informations. Elle s'est sauvée chez elle avant que j'aie pu l'enlacer.

«Plus tard, j'ai appris qu'on avait été la cible d'une initiation de gang de rue. Les types avaient manqué leur coup et, en plus, l'éclopé risquait d'attirer l'attention. Les deux indemnes l'avaient sûrement tué et avaient balancé son corps dans le fleuve.»

Le plongeur m'a dévisagé longuement. Je me doutais bien que mon aventure lui plairait. Il a sorti ses mains de l'eau savonneuse et les a posées devant moi. À droite, ses doigts n'avaient plus d'ongles.

— Et le bout de viande dans le congélo, tu sais ce qu'il est devenu ?

— Je... Mina me l'a volé. Je n'ai pas compris pourquoi. Je ne l'ai jamais revue.

Il a ricané, puis m'a expliqué :

— Quand ma petite sœur Mina est rentrée ce soir-là, elle ne savait pas ce qui l'attendait à la maison. Mais moi, j'étais heureux qu'elle ne revienne pas les mains vides. Elle m'a accompagné à la clinique vétérinaire d'urgence à Lachine. Ces gars-là font des miracles avec les bêtes dans mon genre.

La cicatrice autour de son poignet m'a ôté l'envie de prolonger la conversation.

Il a alors redressé son majeur raboté avec difficulté, avant de reprendre sa tâche.

Publicité fiction

Vincent Tremblay était un gars ambitieux et pressé. Directeur de création et actionnaire d'une petite agence de publicité nommée Marius, il s'était fixé comme objectif de grimper dans le top 10 en trois ans. La communication est un plat qui se dévore chaud, alors quand tu as les dents longues, tu croques dans tout ce qui bouge. Vincent s'était illustré aux dernières compétitions publicitaires avec des annonces imprimées surprenantes, élégantes, habiles. On citait son nom dans les chroniques, on l'invitait dans les jurys.

Jusqu'à ce que le corbeau commence à se manifester.

Un matin, une dizaine de responsables haut placés dans le milieu reçurent un courriel provenant d'un certain pubsbidon@hotmail.com, avec une bouche verte en guise de logo. On y voyait l'affiche réalisée par Tremblay pour un vendeur de chaussures à côté d'une autre création faite quatre ans plus tôt en Allemagne et ressemblant exactement à celle qui venait de gagner un Pigeon d'or au concours local. L'avis était clair : on dénonçait un plagiat. Vincent

Tremblay n'était qu'un copieur sans talent, ni amour-propre.

Vincent était encore chez lui quand il lut ce message. Il eut à peine le temps de parcourir la liste des personnes à qui il avait été adressé que son cellulaire sonnait déjà.

— Vince, veux-tu m'expliquer ce que je viens de recevoir?

— Je serai là dans quinze minutes.

— Grouille!

Vincent se précipita vers sa Jeep, mais au moment de sauter dedans, il se ravisa. Il courut jusqu'au garage, récupéra son couteau de chasse sous l'établi, puis revint à son véhicule et démarra en trombe.

Arrivé chez Marius, il fonça dans le bureau du patron qui faisait les cent pas en balançant des coups de poing dans la porte chaque fois qu'il passait devant.

— Checke ça!

Sa messagerie affichait deux nouveaux envois provenant du corbeau. Là encore, des créations de Tremblay s'étalaient près d'autres plus anciennes, mais néanmoins identiques.

— Vince, dis-moi la vérité.

— La vérité, c'est que les idées sont dans l'air. Tout le monde travaille sur les mêmes produits, avec les mêmes contraintes, les mêmes influences. C'est normal qu'on aboutisse aux mêmes résultats.

— Mouais. Ça peut arriver une fois. Mais cinq! Et c'est qui le trou du cul qui te tire dans le dos? Tu parles d'un procédé de lâche. Moi, quand j'ai quelque chose à dire, je montre ma face.

— Moi pareil.

Vincent sortit de la pièce en furie, traversa l'agence au pas de course et bondit sur un jeune gars habillé bizarrement : casquette de base-ball, pantalon de golf, chandail de soccer, souliers de skate-board.

— Rodolphe, c'est toi qui as envoyé ces merdes ?

— Quelles merdes ?

— Fais pas ton innocent. Tu veux te venger parce que j'ai dit que t'étais mauvais ? Ben je le répète : t'es une grosse bouse sans talent. Tu me fais chier. Je veux plus te voir. Décâlice !

— Quoi ?

— T'es viré, gros nul.

— Gros nul toi-même, répondit le junior en avançant.

Vincent sortit le couteau de sous son blouson et, sans hésiter, enfonça la lame dans le ventre du directeur artistique. Rodolphe s'écroula la tête la première sur le plancher verni. Sur son dos, on pouvait lire Zidane.

Le lendemain, un courriel parvint à quarante destinataires. On y découvrait une annonce magazine pour une bière, conçue par Tremblay, avec son équivalent polonais en tous points similaire. L'original datait de 1997 et la copie de 2004. Vincent apprit la nouvelle depuis le poste de police où il avait passé la nuit.

Décédé la veille à midi, Rodolphe n'en sut jamais rien.

Le corbeau était toujours en vie et plus actif que jamais.

Le surlendemain, une série d'envois ébranla l'ensemble des agences montréalaises. Tout le monde était pointé du doigt.

Jo Laviolette, le célèbre créateur du slogan « Milson, c'est pas pour les morons », voyait sa dernière campagne pour la chaîne de fast-food MicMoc comparée à une autre, copie conforme, provenant du Mexique. Jo était un sanguin susceptible et émotif. Il se fit sauter la cervelle avec son fusil de chasse.

Bernard Voltaire, grand manitou du multimédia, se retrouvait lui aussi dans l'eau chaude avec son concept révolutionnaire de marketing viral pour une voiture de sport. La même approche avait gagné au festival international de Montevideo, cinq ans auparavant. Bernard argumenta devant ses associés, plaidant pour un malheureux concours de circonstances conjugué à un horaire de fou. On lui conseilla de remettre sa démission dans la demi-heure.

Le couard qui expédiait ses boules puantes accéléra son œuvre de faux cul. Les médias reprenaient chaque matin la nouvelle trouvaille du dénonciateur et les marques commencèrent à battre en retraite. Elles payaient cher pour avoir des idées originales, pas des photocopies. Aucune ne voulait se retrouver associée à un faussaire.

La tension redoubla. Les renvois firent suite aux exécutions publiques. Le climat devint atroce. Les faillites pointaient leur nez.

Le petit monde de la pub québécoise étant prêt à basculer, les patrons de trente agences se réunirent à huis clos dans un hôtel du centre-ville. On expédia les formalités d'usage pour plonger dans le vif du sujet : plagiat ou pas, éthique ou toc, originalité ou efficacité.

M. Go prit le commandement des opérations. Sa voix grave et sa stature de président de la troisième agence en ville forçaient le respect.

— On va commencer par museler les médias. Câlice, on a juste à leur rappeler que si on leur coupe le robinet à fric, ils sont morts. Ensuite, on va écrire un communiqué pour montrer qu'on a la situation en main. Simon, tu te sens d'attaque?

À cinquante ans passés, Simon Barbeau était un vétéran qui œuvrait comme rédacteur depuis presque trois décennies. Un record de longévité dans cette profession de jeunes loups.

— Hein? Euh, oui.

— Alors, on y va. Tu nous ponds un papier percutant pendant qu'on fait le point avec nos centrales d'achat médias.

Simon ouvrit son PowerBook et double-cliqua sur le logo Word. Edgar Laurent, le nouveau dirigeant du studio La Mousse, passait derrière lui à ce moment précis et jeta par réflexe un coup d'œil sur l'écran. Il sursauta en reconnaissant l'icône verte en forme de bouche qu'utilisait Pubsbidon. Il s'empara de la machine portative en gueulant.

— Venez voir ça!

En un rien de temps, le vieux Barbeau fut ceinturé et on découvrit un dossier complet avec toutes les imitations déjà dénoncées, plus d'autres prêtes à être expédiées. Cinq d'entre elles concernaient des gars présents dans la salle. Les coups commencèrent à pleuvoir.

— Ah mon hostie de ratoureux!

— Sale hypocrite!

— Traître!

Simon tenta de se justifier.

— J'ai fait ça pour le bien de notre profession...

— C'est raté, rétorqua Edgar Laurent en lui fracassant une côte avec son soulier italien.

29

— Écoutez-moi ! J'en pouvais plus de voir tous ces petits cons se prendre pour des stars en pillant le patrimoine publicitaire de la planète.

— Patrimoine mon cul ! répliqua M. Go.

— Mais...

— Ta gueule !

On évacua discrètement le concepteur à la déontologie désuète et, à sa place, un rédacteur sans scrupules rédigea un court feuillet intitulé *Le monde nous inspire,* dans lequel on expliquait qu'à l'heure de la mondialisation et de la compétitivité féroce des multinationales américaines, les forces vives de la pub avaient su réagir avec audace pour défendre les intérêts de leurs clients dans la Belle Province. Alléluia.

Pour prouver qu'on avait démasqué le coupable, le communiqué fut expédié de l'adresse du traître. Les organes de presse agirent comme on le leur avait intimé, ils enterrèrent le dossier.

Bien sûr, on ne retrouva jamais le corps de Simon.

En l'absence de témoin oculaire, Vincent Tremblay plaida la légitime défense et fut acquitté. Deux ans plus tard, il caracolait en bonne place dans le top 10 des groupes publicitaires.

Les dents de la mort

— Ouvrez grand... Encore... Tournez-vous vers moi.
Ce n'est pas joli à voir, l'intérieur de la bouche de
Mme Schumacher. On dirait Berlin après le passage
des Russes en 1945. Des ruines noircies à perte de vue
avec, çà et là, un vestige intact entre deux immeubles
bombardés. Il faudrait tout raser, arracher les
quelques chicots branlants qui se dressent toujours,
puis repartir de zéro. Creuser jusqu'à l'os, couler des
fondations solides et bâtir une dentition 100 % neuve,
avec des matériaux modernes, un plan d'architecture
épuré, mais fonctionnel. Pour vingt mille dollars, je
lui implante une façade qui la rajeunira de vingt ans.
Un émail blanc et brillant, des canines pétantes de
santé, des incisives alignées comme une parade dans
Friedrichstrasse, des molaires à croquer. De quoi
retrouver le sourire, même dans la défaite.

Je ne peux pas lui dire ça, à ma cliente allemande,
sans la préparer. Elle pourrait avoir un arrêt cardiaque.

— Détendez-vous, ce ne sera pas long.

Mais qu'est-ce qu'elle mange pour se gâter ainsi
le palais? Elle vient de subir un siège, comme à
Leningrad? J'ai lu qu'ils y fabriquaient des sortes

de saucisses avec du salpêtre, du cuir broyé et des boyaux de chats. Mais ma nouvelle cliente? Avale-t-elle une louche de sucre en poudre avant de se coucher? Il paraît que ceux qui ont manqué de nourriture pendant la guerre font moins attention à leur alimentation.

— Je jette un rapide coup d'œil à tout ça et je vous explique ensuite comment nous allons procéder.

Les gens détestent exhiber leur intimité. Les dents en font partie. Ils trouvent ça répugnant. Moi, à la place de Mme Schumacher, je n'oserais même pas mâcher un chewing-gum en public. J'aurais peur de déclencher un mouvement de panique chez mes voisins.

— Vous aimez la cuisine épicée?

Pas la peine de la voir opiner du chef avec véhémence pour savoir que j'ai raison. Elle doit commencer ses journées en tartinant ses rôties d'une épaisse couche de harissa. Les Russes l'auraient sulfatée avec un lance-flammes que ce ne serait pas pire. C'est une drogue dure, le piment. Plus vous en avalez, plus vous pleurez, plus vous en reprenez. Ça tue toute forme de sensibilité. On en veut toujours tellement plus qu'on se retrouve avec ce que j'observe : une véritable débâcle buccale.

— Ce ne sera pas long. Tournez-vous un peu plus... Là.

Mon Dieu, sa langue ressemble à un filet de camouflage pour région aride. Mme Schumacher boit-elle parfois de l'eau? Sait-elle qu'un corps doit s'hydrater?

— J'ai presque fini.

Alors, si je fais le compte rapide, en haut, toutes les molaires ont reçu une charge de dynamite. Elles chancellent sur leur base. Les bombardements alliés n'ont pas réussi à les abattre pour de bon, ce qui tient du miracle. J'ose à peine y toucher avec ma pointe métallique, de peur de les rayer ou de les transpercer. On dirait des plaques de gypse criblées de balles explosives et d'éclats d'obus.

— Vous mangez des légumes, parfois? Des tomates fraîches, des radis, des artichauts, des aubergines? De la laitue, non?

Ses yeux s'écarquillent. À mon avis, la dernière fois qu'elle a vu une carotte doit remonter à sa prime jeunesse. C'est insensé.

Bon, il faut que je prenne une décision. Je ne peux pas l'abandonner dans cet état lamentable. Je pourrais être accusé de non-assistance à mâchoires en danger. Elle ne semble pas trop pauvre, ni trop riche. J'aurais dû lui demander si elle avait une bonne assurance.

Il vaut mieux parer au plus pressé. Ne pas l'effrayer, lui proposer un plan Marshall pour la reconstruction. Si on partage sa bouche en quatre zones d'occupation, on devrait parvenir à échelonner les travaux sur une dizaine d'années. De quoi financer ma piscine creusée.

— Parfait, madame Schumacher, vous pouvez vous détendre. D'abord, avez-vous mal à une dent en particulier?

— *Nein,* je sens rien.

— Vous êtes certaine?

— Vous savez, c'est mon nouveau mari Helmut qui m'a obligée à venir vous voir. Il dit qu'on devrait rencontrer son dentiste au moins une fois par année. Ça me semble *ganz* exagéré, *nein*?

Que voulez-vous répondre à ça? Que si elle avait pris la peine de consulter un de mes collègues avant la fin du vingtième siècle, elle aurait pu éviter le pillage éhonté de sa denture par une troupe de dysplasies, de parodontopathies, de caries radiculaires et autres pulpites irréversibles? On dirait pourtant qu'elle ne souffre pas. Ses deux maxillaires sont-ils toujours reliés à son système nerveux?

Je pourrais la tester incessamment. Lui planter un scalpel dans la gencive pour voir si elle réagit.

— Êtes-vous sensible au chaud, au froid, au sucré?

Elle secoue la tête, puis me sourit. Elle semble inconsciente de son état.

— *Nein,* je suis juste sensible aux *schön* garçons.

Elle entrouvre la bouche, pointe ce qui lui sert de langue et pose sa main sur ma poitrine.

Si je ne réagis pas, mon intégrité professionnelle sera en péril. Mon psychisme risque de capituler. Je cherche du regard mon diplôme sur le mur. Voilà un élément fiable et concret. Je dois m'extirper de ce cauchemar.

— *Aufrichtig,* que pensez-vous de mes quenottes, *Herr Doktor?*

Elle s'est rapprochée. Elle veut m'embrasser. Je ne peux plus bouger.

Le champ de bataille qui se cache derrière ses babines envahit ma vision. Je vais m'évanouir. Ce spectacle d'horreur grossit à toute vitesse. Il faut que je trouve une échappatoire.

— Quand les Russes ont pénétré chez vous, est-ce qu'ils vous ont violée?

Ça la calme instantanément. Mme Schumacher pince les lèvres, me lâche, se lève et sort du cabinet en furie.

— Bande de sales *Bolschewiken*! lance-t-elle à la cantonade.

Je viens de sacrifier un butin de guerre estimé à vingt mille dollars, mais j'ai sauvé mon honneur.

Luxe instantané

Étienne Schmieder s'était engagé à organiser la mouture 2009 du Party Luxe™. Chaque version de cet événement biennal dépassait les objectifs fixés. Celui de 2007 resterait à jamais gravé dans les mémoires des fêtards qui avaient survécu aux combats extrêmes, le corps enduit de foie gras. La barre était donc très haute. Étienne avait promis un truc *« indecently decadent, frightfully expensive and terribly unique »*.

Les invités composaient la pire coterie de la planète : des blasés qui avaient tout vu, tout bu, tout régurgité et qu'aucune nourriture n'impressionnait plus. Ces ultra-riches possédaient des œuvres de la Renaissance, des montres fabriquées à la main, des voitures plaquées or, des vêtements cousus sur leur peau. Bono leur chantait la sérénade à leur anniversaire. Jacques Villeneuve leur servait de chauffeur pour ne pas arriver en retard à l'aéroport.

Pour eux, le luxe se vivait au quotidien. Rien ne les éblouissait plus.

Étienne avait commencé ses recherches en août 2007. On lui avait confié le contrat avec une avance conséquente, représentant 5 % du budget final alloué aux festivités. Il fouilla dans les archives des bacchanales hollywoodiennes, romaines et saoudiennes. Chaque nouvelle orgie avait été copiée des centaines de fois. Le caviar lassait, le champagne ennuyait, la cocaïne désabusait.

Inviter le Cirque du Soleil sur une île déserte ? Déjà fait.

Transformer le haut d'un gratte-ciel en court de tennis ? Obsolète.

Voyager en touriste dans l'espace ? Zzzzzz.

Après six mois, ses idées avaient toutes été refusées. Son commanditaire s'impatientait et lui avait lancé un ultimatum. Il devait à tout prix trouver un concept jamais vu.

Le miracle se produisit en février 2008, grâce à une fuite qui permit à Schmieder de lire un communiqué de presse en avant-première. Celui-ci annonçait que la Polaroid Corporation cessait définitivement la commercialisation de ses films instantanés, deux ans après avoir mis un terme à sa production d'appareils. Les usines du Massachusetts, du Mexique et des Pays-Bas avaient remercié leurs employés. Le numérique signait leur arrêt de mort.

Il n'y avait pas une seconde à perdre.

Il lança aussitôt ses contacts internationaux dans toutes les boutiques de photographie du monde, avec ordre de rafler tous les appareils à développement instantané : SX-70, Spirit 600 CL, Autofocus 660, SLR 680, Polaroid 1000, 1200 Digital Pro, Spectra 1200FF, Impulse AF et autres modèles. Ils devaient également se procurer tous les types de films amateurs ou professionnels : 88, 89, 500, 600, 664, 665, 667, 669, 689, 690, etc. « Ne laissez rien aux autres ! » martelait Schmieder au téléphone.

Quand l'information parvint aux médias, il était déjà trop tard. Le quart du stock planétaire reposait en sécurité dans les frigos du Party Luxe™ 2009.

Le concept de Schmieder tenait en deux mots : rareté = luxe. Plus c'est cher, superficiel et introuvable, plus les riches désirent le posséder. En ajoutant une dimension artistique à l'événement, il allait créer le *hype* que tout le monde voudrait connaître une fois dans son existence.

Bien sûr, on allait inviter les plus célèbres photographes du globe à venir tirer le portrait des fêtards : Martin Parr, Anton Corbijn, Sophie Calle et autres Toscani officieraient. Ils signeraient leurs images dans le légendaire format rectangulaire avec le cadre blanc. Chacun repartirait avec cette preuve singulière de sa participation au Party Luxe™ 2009.

La rumeur sur la subite rareté des films Polaroid enfla. Le site eBay fut envahi d'offres de centaines de vendeurs. L'équipe d'Étienne Schmieder entretenait la pénurie, achetant sans relâche, faisant monter les prix, ajoutant au bruit. On lâcha un pseudo-scoop à l'endroit d'un journaliste allemand qui pondit un article de dix feuillets intitulé *Kann man ohne sein Porträt Polaroid leben ?*

Soudain, la question devenait existentielle : « Peut-on vivre sans son portrait Polaroid ? »

Parallèlement, les premiers cartons d'invitation étaient envoyés. Le taux de réponses positives avoisinait les 86 %. Du jamais vu.

Étienne Schmieder jubilait. Il engagea une milice composée d'ex-mercenaires tchétchènes pour garder son trésor. Trois attaques ultra-violentes de pilleurs assoiffés de cash purent ainsi être repoussées. On dénombra au total trois blessés graves et un mort. Les médias en firent leurs choux gras, gonflant d'autant l'intérêt pour le sujet.

Les films Polaroid étaient plus recherchés qu'un rein en bon état. Luxe suprême : on allait tous les utiliser dans la même soirée. On les « flauberait » sans hésiter. Après ça, il faudrait se contenter du vulgaire numérique et de son Flickr populacier. De cette débauche, il ne resterait que des images uniques, éparpillées à travers le globe à la manière d'une œuvre complexe, explosée. Grandiose.

La folie s'amplifia : on s'arracha les invitations au Party Luxe™. Quelques cyberscalpers gagnèrent une fortune en revendant une dizaine de billets falsifiés.

Deux mois avant la fête, Schmieder alluma lui-même un incendie dans l'entrepôt où reposait le butin Polaroid. La moitié des films s'envola dans une grosse fumée noire chargée de toxines. Les flammes firent la manchette. Les happy few priaient le dieu des culs bordés de nouilles pour ne pas manquer la nouba.

On imaginait déjà les richissimes, habitués des coupe-files et des passe-droits, faisant sagement la queue pour qu'on les prenne en photo dans un format de 9 cm x 11 cm. Les baronnes côtoyant les parvenus, il faudrait patienter plusieurs heures avant de confier le précieux cliché à un garde du corps qui le placerait aussitôt en sécurité.

La fête prévue après les photos dépasserait tout en termes d'excès. Les nantis allaient se vautrer dans un délire sans nom, dès qu'ils posséderaient enfin cette œuvre exceptionnelle les représentant.

Après avoir accédé au luxe de la rareté, ils pourraient s'adonner à celui de l'abondance.

Deux jours avant la date tant attendue, un journaliste du quotidien montréalais *Le Devoir* divulgua un scoop qui ravagea la fête. Le directeur général de Polaroid, Tom Baudoin, annonçait que son groupe menait depuis deux ans des tractations secrètes avec une compagnie coréenne. Un accord avait été conclu depuis plus de six mois. Les premiers films Polaroid nouvelle génération envahiraient le marché dans moins d'une semaine.

Étienne Schmieder apprit la nouvelle à la radio dans sa voiture, alors qu'il se rendait chez son commanditaire pour toucher son chèque. Sa Porsche Carrera cabriolet quitta soudain la route pour plonger dans un ravin de cent trois mètres. On identifia son corps grâce aux nombreuses photos instantanées éparpillées autour de la carcasse du bolide.

Le Party Luxe™ édition 2009 n'eut jamais lieu.

Or donc

Un éclat de lumière a attiré mon regard. Je me suis penchée vers le gravier du parking du belvédère. Qu'est-ce qui brillait là ?

Je m'étais assise sur un banc et je discutais avec Armand. Il était demeuré debout, sa cuisse me frôlant la joue. Il me racontait son rêve de la nuit précédente.

J'ai ramassé l'anneau sans qu'il y prête attention. En fait, je n'étais pas sûre de ce que j'avais attrapé : un joint de robinet ou une bague ? J'ai ouvert la main et présenté ma découverte à Armand d'un geste calme. Comme si j'avais eu le pouvoir de faire apparaître des bijoux.

Il y avait une inscription à l'intérieur : GEORG, assortie d'une date : « 3-6-98 », et d'une certification « Or 14 K » avec un poinçon. Ce n'était pas du toc.

— Ça vaut cher, quatorze carats ? ai-je demandé.

Armand avait saisi l'alliance et cherchait déjà à quel doigt elle se glisserait.

— Hum, pas vraiment, m'a-t-il répondu en admirant son annulaire gauche.

Il s'est éloigné, sur des pas de valse, ses bras enlaçant une partenaire imaginaire. Les yeux clos, il souriait béatement, tel un jeune marié qui ouvre le bal. Ce jonc symbolique le transportait. Son indifférence face au mariage n'aurait-elle été qu'une façade? Voilà qu'il chantonnait du Strauss.

Il riait maintenant, tournant en trois temps, de plus en plus vite. Et puis, il a trébuché. Sans que je puisse l'avertir du danger, il a basculé par-dessus le parapet pour aller se fracasser le crâne sur les rochers, dix mètres plus bas.

Je me suis souvenue que ma mère disait que mettre l'alliance d'un autre portait malheur.

C'était donc vrai.

Ligne brisée

Deux jours plus tôt, la lecture du *Journal de Montréal* m'avait contrarié. Mes dessous de bras en témoignaient : ma production de sueur avait atteint le seuil de l'abondance. Oh, je ne suis pas un pleutre naïf, mais découvrir ainsi, noir sur blanc, qu'on pouvait traverser aussi facilement la frontière entre les États-Unis et le Canada m'avait chauffé le sang.

Les journalistes du quotidien s'étaient amusés à passer entre les deux pays sans s'arrêter à un poste de douane ni rencontrer la moindre patrouille de la GRC. Le titre était éloquent : *LA PASSOIRE DU NORD*. Ils avaient répertorié jusqu'à cent sept routes sans surveillance et ils présentaient sur une carte les points de franchissement qu'ils avaient empruntés sans jamais être inquiétés.

Je savais que ma crainte aurait dû se manifester depuis toujours. Ça faisait plus de dix ans que j'étais planqué à Montréal et Jacques ne pouvait pas l'ignorer. S'il avait voulu franchir « les lignes » pour venir m'exploser la cervelle, il y a longtemps qu'il aurait trouvé le moyen de le faire sans être repéré. Non, le truc qui m'a indisposé, c'est que j'imaginais cette brute lisant le même journal aux *States*. Ils le reçoivent dans la journée, en Floride. Tous les *diners* de Fort Lauderdale y sont abonnés.

Les mauvais coups, ça ne prend pas grand-chose pour les déclencher : il suffit parfois d'un article de journal pour provoquer une émeute. Et depuis quarante-huit heures, j'avais une image qui me hantait : Jacques relevant lentement la tête avec ce sourire en coin qui exprimait sa méchanceté crasse.

J'ai essayé de me raisonner : Jacques et moi, ça datait. C'est vrai que le dernier hold-up qu'on avait improvisé avait pas mal foiré. Surtout pour lui, je l'avoue. Et un peu par ma faute, qui plus est. Mais bon, à quoi ça servait de ressasser sans fin ces histoires anciennes ?

Il y avait prescription, comme on dit dans le Code civil.

N'empêche, j'avais passé deux sales journées. Je me sentais observé. J'avais l'impression qu'on me filait. Je n'arrêtais pas de me retourner dans la rue. Moi le champion du flegme, je devenais plus parano qu'un gagnant au 6/49 dont la photo est affichée dans tous les points de vente Loto-Québec de la province.

Je suis passé chez le gros Alain et il m'a servi une pinte de stout pour calmer mon délire de persécution. Je l'ai appréciée. Ces maudits journaux à sensation finissaient par nous faire croire à leurs idioties. Les gens les lisaient pour se défouler avec des faits divers sanguinolents, pour rigoler des malheurs des cons, pour se rassurer devant la misère des autres, mais surtout pas pour se gâcher l'existence. Pour rester divertissants, les emmerdements devaient demeurer à distance : en Irak, à Hollywood, à Cuba, ou même à Kuujjuaq. Mais jamais au coin de la rue.

Je n'oubliais pas qu'à vol d'oiseau, les « États » étaient à moins de soixante kilomètres de mon appartement. Si je grimpais sur le toit de la brasserie, je pouvais quasiment voir les drapeaux étoilés qui flottaient au loin.

Le reporter qui avait eu cette idée d'article avait dérapé, d'après moi. Pourquoi chercher à nous faire peur ainsi ? J'en ai parlé au gros Alain, mais au lieu de m'apaiser, cet abruti a surenchéri.

— J'ai un beau-frère qui chauffe un dix-roues. Il passe ce qu'il veut en contrebande : guns, EPO, cigarettes, filles, DVD, fromages au lait cru. *Name it* ! Et dans les deux sens. T'as juste à rouler après minuit : les postes de douanes sont déserts. Faites comme chez vous !

— Oui mais quand même, ai-je objecté à court d'arguments.

— Quand même quoi ?

— Quand même !...

J'ai toujours détesté les oiseaux de malheur. J'ai vidé mon verre cul sec et je suis sorti. J'avais du boulot, moi.

Septembre approchait et je devais effectuer une tournée d'inspection de mes plantations. Je squattais plusieurs champs pour mon pot et il fallait que je m'assure qu'aucun paysan ne m'avait dénoncé à la police. D'ordinaire, ils laissaient aller, ils avaient trop la chienne qu'on brûle leur nouveau John Deere. Mais il y avait toujours des malins qui se croyaient investis d'une mission salvatrice. Ils cherchaient à se faire du crédit sur mon dos de petit producteur.

Ils ne comprenaient rien à la mondialisation, ces tordus. Ils préféraient rester dans leur misère plutôt que d'admettre que je créais de l'emploi. Ma marijuana devenait une source de richesse pour la communauté. Elle préservait l'équilibre de la balance commerciale du Canada. J'étais un exportateur. La réputation de mes récoltes me précédait partout où j'allais. Le « Quebec Gold », c'était en partie grâce à moi qu'il avait effectué sa percée sur le marché planétaire. Je considérais Guy Laliberté et Pierre Beaudoin comme mes homologues entrepreneurs.

Je suis parti avec mon pick-up, direction Saint-Wenceslas, un village de Mauricie. J'avais décidé de tenter une expérience dans un champ de soya plutôt que de maïs. L'avantage, avec le soya, c'était que le sol était très bien fertilisé. Et surtout, la détection des tiges était plus difficile, car je plantais en ligne droite. À maturité, les plants atteignaient à peine un mètre, mais leur qualité était extra avec un taux de THC de première. J'en avais huit mille presque prêts pour la récolte et je devais en prendre soin.

J'ai traversé le pont Jacques-Cartier pour atteindre la 20. Je roulais juste sous la vitesse maximale permise, en écoutant la radio en sourdine.

Et je l'ai vue se rapprocher dans mon rétroviseur : une Mustang 1971 bronze, identifiable entre mille avec ses quatre phares, dont les deux feux de route à l'extrémité extérieure de la calandre.

De loin, je n'étais pas certain, mais j'aurais donné ma main à couper que la plaque d'immatriculation portait l'inscription *Sunshine State,* la devise de la Floride. J'aurais aussi parié un bon paquet que le gars au volant se prénommait Jacques et qu'il avait franchi la frontière la nuit dernière. Tiens, j'aurais même été jusqu'à gager qu'il avait un foutu fusil à canon scié sous son siège. L'absence de passager à son côté constituait le seul élément rassurant de la situation.

Je me suis concentré sur le bitume, en maintenant mon allure. J'avais l'avantage du terrain : Jacques n'avait jamais voyagé au nord du quarante-cinquième parallèle. Il m'avait toujours répété qu'il ne supportait pas le froid. Son métabolisme de Méridional gelait à partir de 12 °C. Alors le Québec, même en été, ça ne l'avait jamais tenté. C'était aussi pour cette raison que je m'étais réfugié si haut sur la carte.

Je n'avais jamais d'arme à feu avec moi, car j'avais tendance à m'en servir à tort et à travers. Mais en quittant la ville pour m'exposer en terrain découvert, j'aurais dû piler sur mes principes. Il était un peu tard pour y songer. J'avais quand même à portée de main le coupe-chou que j'utilisais pour sectionner les plants de mari. Une vieille lame de trente centimètres de long toujours bien affûtée, souvenir d'un voyage dans les Caraïbes.

J'ai éteint la radio pour cogiter. Il fallait que je l'attire dans un coin où je pourrais lui faire la peau sans être dérangé. Jacques n'avait jamais été un grand tireur, c'est pour ça qu'il utilisait une pétoire qui éparpillait les plombs dans tous les sens. Ça l'obligeait à se rapprocher de sa cible. Mon arme blanche ne serait pas si dérisoire.

Je me suis souvenu d'une ferme à l'abandon avec un chapelet de granges que j'avais visitées dans l'idée d'y entreposer ma récolte avant la vente. Ça demandait un plan d'attaque sans faille. Jacques n'avait pas fait l'effort de rouler si loin avec sa vieille bagnole dans le but de jouer au touriste. Et tel que je le connaissais, il avait sûrement prévu de repartir le soir même, après m'avoir transformé en écumoire. Il faudrait régler notre différend dans l'après-midi.

On a avancé ainsi en conservant nos distances, puis j'ai quitté l'autoroute pour atteindre la 161. Naïvement, j'ai espéré un court instant que la Ford continuerait tout droit vers le Château Frontenac. J'ai aussitôt déchanté.

Mon but se trouvait maintenant à quinze minutes de là, un peu avant Saint-Wenceslas. Ce saint, je me demande où on l'a dégoté. En Slavie ? Enfin… Après le dixième rang, j'ai attendu de traverser la voie ferrée, puis j'ai soudain braqué à droite dans le chemin qui menait aux bâtiments en bois. J'ai accéléré au maximum pour contourner la première grange, puis je me suis immobilisé derrière la deuxième.

Le sol était sec. Un nuage de poussière m'a dissimulé quand je me suis précipité à l'intérieur. J'ai grimpé l'escalier jusqu'au niveau supérieur et je me suis réfugié dans une petite pièce qui devait servir à stocker des sacs de grains. La Mustang a surgi cinq secondes après. Une portière a claqué. Des pas se sont rapprochés. Il ne fallait pas que Jacques me voie. Il ne devait pas savoir que je n'avais qu'un tranche-navet pour l'affronter. Je l'ai repéré à travers les planches disjointes. Il longeait la paroi extérieure, son fusil pointé en avant.

— À quoi tu joues, Marcel ? Tu veux pas venir saluer le vieux Jack ?

Son accent de Perpignan perçait encore, mais on sentait maintenant poindre des intonations américaines à la fin des phrases.

— *C'mon* ! Jack est pas venu jusqu'ici pour jouer à cache-cache.

Il parlait souvent de lui à la troisième personne. Il se prenait pour Jules César. Je l'ai laissé visiter le plancher des vaches. Ensuite, il devrait grimper pour me rejoindre. Ce qui arriva très vite.

— OK *kid*, Jack monte te chauffer les fesses.

Ses bottes ont commencé à marteler chaque marche. Il prenait son temps, la vue et l'ouïe aux aguets. Si je toussais, j'étais un homme mort. J'entendais son souffle qui chuintait. Jacques avait toujours fumé d'infects cigarillos et l'âge n'arrangeait rien.

— Me dis pas que Jack te fait peur, *bloody* bâtard.

Il devait être à mi-parcours de son ascension, à plus de dix mètres de moi. J'ai pris une profonde respiration et j'ai traversé l'espace vide, courbé en deux. Les chevrotines ont sifflé à mes oreilles et quelques petits projectiles se sont fichés dans mon bras gauche, mais rien de trop rude. J'ai attrapé la corde qui était enroulée autour de la poulie suspendue à l'énorme poutre centrale. La deuxième salve a giclé au même instant, mais je m'étais déjà couché à terre en prévision. Maintenant, il me restait une poignée de secondes pour vérifier que mon idée fonctionnait. Le temps que Jacques recharge son fusil de chasse. Dans le cas contraire, je ne reverrais jamais ma Normandie.

— JAAAACQUES ! Plus que quinze coups !

J'ai hurlé ça pour lui rappeler le bon vieux temps, en espérant ralentir son mouvement. À l'époque où l'on braquait des supermarchés sur la côte est, Jacques rechargeait son flingue plus vite que Lucky Luke. Une fois, dans une revue locale, on avait lu qu'un témoin affirmait que son agresseur tirait avec une arme bizarre à dix-sept coups. Ça avait salement impressionné la population. Par la suite, chaque fois qu'on se pointait pour soulager le coffre-fort d'un Walmart, on portait des tee-shirts avec écrit dessus « 17 shots ». Rien qu'en nous voyant, les vigiles souillaient leur pantalon d'uniforme.

Brandissant mon coupe-chou, j'ai serré la corde et je me suis lancé dans le vide, en direction de l'autre imbécile. C'était comme si le temps se suspendait, comme si quelqu'un avait mis la sourdine. J'ai traversé les trois quarts de l'espace et, juste quand je suis arrivé à sa portée, paré à lui trancher la gorge, la corde s'est rompue.

J'avais vraiment l'air d'un crétin avec ma liane pourrie de Tarzan sénile.

Le bruit est revenu soudainement. Le fracas de son fusil m'a explosé aux tympans alors que je tombais en vrille. Jacques m'a encore visé au sol, mais cette fois, c'est la marche sur laquelle il se tenait qui a cédé. Il a perdu l'équilibre et est venu s'empaler sur ma lame, que j'avais relevée. Le deuxième coup de feu est parti dans le vide.

Et nous voilà tous les deux, entremêlés, haletants. J'ai tenté de me dégager, mais Jacques m'a retenu de ses grosses paluches bronzées.

— Reste avec Jack !

Je me suis senti soudain très faible. Du sang se répandait par litres sur le sol de terre battue. Son bide pissait à gros bouillons, mais il n'était pas le seul. Mon artère carotide avait été perforée de dizaines de plombs qui l'avaient transformée en pommeau de douche. Ça coulait joliment rouge.

— Content de te retrouver, a-t-il murmuré.

— Moi aussi, Jacques, moi aussi.

De près, il n'avait pas tant vieilli que ça.

Avant de crever la bouche ouverte, une dernière image m'a épouvanté : la une du *Journal de Montréal* m'est apparue avec notre portrait sanguinolent et ce titre énorme : *RETROUVAILLES FATALES À SAINT-WENCESLAS.*

Tu parles d'un trou pour mourir.

Terminus Sherbrooke

Il y a des visages qu'on n'oublie jamais.

J'avais décidé de prendre une semaine de vacances loin de Paris et me voilà à Montréal à cause d'un agent de voyages qui m'a convaincu que c'était plus dépaysant que la Corse. J'ai fait le tour de la ville en solo : la tour penchée, la petite montagne, le port désert. Sympa.

Et puis, un matin, dans le métro, il est monté dans mon wagon à la station Berri-UQAM. Je me suis retenu pour ne pas lui sauter dessus et bousiller sa petite face d'enculé. J'ai préféré me planquer derrière un journal gratuit qu'un genre de SDF m'avait placé d'office entre les mains.

Lui, sans un regard pour la femme enceinte qui le suivait, s'est précipité sur le seul siège libre où il a laissé choir son quintal de graisse. Il avait bien profité de sa planque, le salaud.

Il est descendu à la station Mont-Royal et je l'ai filé discrètement. Il s'est allumé une cigarette, puis a marché jusqu'à une quincaillerie de la rue Rachel. C'est là qu'il bossait. Vis, boulons, marteau, peinture, routine. Quoi faire ?

Je suis revenu le lendemain, à la même heure. Et le jour suivant et pendant une semaine, le scénario s'est reproduit. Il grimpait dans le métro, fonçait sur la première place, en bousculant une mémé ou en engueulant un gamin. Moi, à l'abri de mon quotidien pas épais, je restais peinard. Il ne m'a jamais repéré. Pourtant, je voyais bien ses yeux qui farfouillaient dans tous les sens. J'essayais d'y discerner un soupçon d'humanité, un regret, une tristesse. Autant chercher des seins nus sur une plage koweïtienne.

Ce matin, il a tourné la tête subitement et je n'ai pas eu le temps de me cacher derrière mon canard. Son regard a plongé dans le mien. On est restés ainsi l'espace d'un instant, aussi surpris l'un que l'autre.

Il m'a reconnu. Il a compris. J'ai vu ce filet de peur qui l'habitait soudain. Et superposé à ça, comme un soulagement. Il s'est levé d'un bond et est sorti à la station Sherbrooke. Il a détalé comme un lièvre. Ça a dû lui rappeler le bon vieux temps, quand il nous faisait cavaler dans la cour en nous tirant dessus avec sa carabine. Quel enfoiré ! J'ai revu le corps de Gisèle sur le sol, celui du jeune Alain. Et lui qui se marrait.

Quand j'ai repris mes esprits, il s'était fondu dans la foule du petit matin. Les portes se sont refermées. J'étais tétanisé. Je l'avais de nouveau perdu.

Mon métro repartait déjà quand il y eut un hurlement sur le quai opposé. Une femme indiquait un point en hauteur, que je ne distinguais pas.

Des pieds ont surgi, puis son visage est apparu, tombant de la passerelle. Nous nous sommes fixés durant une fraction de seconde. Une rame sortait juste du tunnel. Le bruit fut épouvantable.

Ça faisait vingt ans que je ne m'étais pas senti aussi bien.

Victor Fired

Quand j'ai allumé la radio, on ne parlait que de ça : une bande de maniaques avait bravé le froid sibérien pour mettre la main sur les derniers billets du concert d'Arcade Fire. Ils avaient poireauté pendant des heures devant le magasin de disques L'Oblique, à l'intersection de Rivard et de Marie-Anne. Et ça allait continuer ainsi pendant quatre jours : les cinquante premiers arrivés du matin recevaient un bracelet avec un billet pour le show du soir.

Je me suis demandé ce qui se produirait si je passais la nuit sur place ; arriverais-je quarante-neuvième ou cinquante et unième face au comptoir de vente ? J'avais envie de prouver à mon fils de vingt ans que je n'étais pas le loser qu'il voyait. Un père pas encore à la retraite ne peut pas être déjà retiré de la vie. Je voulais me le prouver à moi aussi. Me rassurer. Quand on se prénomme Victor, on doit bien finir par flirter une fois dans sa vie avec la victoire.

Depuis Pink Floyd au Stade olympique en 1977, à quel concert digne de ce nom avais-je assisté ? J'avais raté le spectacle commémoratif *Beau d'Hommage* à cause d'un divorcé en colère grimpé sur le pont

Jacques-Cartier. Quant au *Michel Rivard Unplugged,* j'avais la gastro.

Le lendemain, je me suis donc pointé à quatre heures du matin, équipé de six couches protectrices, d'une combinaison de ski et de deux litres de café dans le thermos qu'on m'avait offert au party de Noël des employés de Loto-Québec. La température extérieure avoisinait les -20 °C, -35 °C avec le facteur vent.

Je me suis installé entre un gars couvert de peaux de bêtes et deux filles emmitouflées dans une tonne de couvertures multicolores. On a patienté en faisant connaissance, en buvant nos boissons chaudes. Un petit malin vendait des *shooters* de vodka et, à son troisième passage, j'ai accepté. Il était temps que j'arrête le café noir, car je sentais une grosse envie de pisser monter en moi. Diurétique, l'arabica. Mais si je quittais ma place pour me soulager dans la ruelle, je risquais de la perdre.

Le jour s'est levé. J'étais fier d'avoir tenu bon. Une fille toute menue est venue à sept heures, puis à huit, nous prendre en photo. Elle effectuait un reportage pour l'université et nous a demandé l'autorisation de nous tirer le portrait. En échange de quoi, elle a promis de nous envoyer les clichés. On lui a tous donné notre nom avec notre adresse courriel.

À dix heures, Luc, le propriétaire de L'Oblique, a ouvert les portes. Il devait avoir pitié de nous. J'avais tellement eu la chienne de ne pas faire partie des élus que j'avais uriné dans mon thermos et celui-ci avait commencé à fuir.

Les clients frigorifiés pénétraient par deux dans le magasin. J'ai serré les dents et je suis entré juste. On m'a accroché un bracelet vert pour le concert du soir et remis mon billet. J'avais bien fait de venir.

Dehors, ça hurlait de joie. Gelés, mais heureux ! La fille a encore fait des photos de groupe avec nos poignets victorieux. La main gauche en l'air, j'ai souri en pensant à mon fils. J'allais lui envoyer cette image de son père victorieux.

Ensuite, je suis retourné chez moi. J'étais épuisé, je sentais la pisse, mais ça en valait la peine. J'ai pris un bain brûlant en ayant soin de ne pas abîmer mon laissez-passer. Je me suis endormi.

La sonnette m'a sorti d'un rêve où Win Butler, le leader d'Arcade Fire, m'invitait à monter sur scène pour entonner le refrain de *Keep the Car Running*.

J'ai enfilé mon peignoir et je me suis hâté vers l'entrée. J'ai ouvert. J'ai reconnu la jeune photographe du matin.

— Qu'est-ce que tu...

Elle m'a aspergé le visage de gaz lacrymogène et m'a poussé violemment. Je suis tombé sur le tapis.

Elle a refermé à clé, puis m'a tiré jusqu'à la cuisine. Là, elle m'a lié les pieds avec une corde qu'elle a fixée à la porte du four et les mains à une autre qu'elle a attachée à la poignée du frigo.

— Calme-toi Victor ou tu vas de nouveau y goûter, a-t-elle sifflé.

Elle a agité un tissu devant un flacon puis me l'a appuyé sous le nez. J'ai perdu connaissance.

À mon réveil, il faisait nuit noire et j'étais toujours sur le carrelage. J'ai tenté de remuer les jambes, mais elles étaient encore ligotées. J'ai essayé de déplacer mes bras : le droit restait solidaire du réfrigérateur. Le gauche, par contre, pouvait bouger. J'ai tendu la main pour me libérer, mais je n'en avais plus.

La réalité m'a rattrapé en même temps que la douleur.

À l'heure qu'il était, les mains si fines de la fille devaient se balancer au rythme de *Keep the Car Running*. Et mon bracelet intact tournoyait à son poignet.

Créativité létale

Vous pouvez tuer de mille et une façons. Vous pouvez empaler, noyer, immoler, défenestrer, empoisonner, décapiter, poignarder ou même étrangler, voire électrocuter.

Vous avez l'embarras du choix.

Si vous optez pour l'usage d'une arme à feu, vous voilà face à une pléthore de solutions plus séduisantes les unes que les autres : revolver, pistolet automatique, fusil de chasse, mousqueton, carabine, mitrailleuse ou même lance-roquettes, voire orgues de Staline.

Chacun opérera selon ses goûts, ses perversions. Les circonstances jouent, mais la finalité demeure : quelqu'un doit y passer. À vous de décider de quelle manière. C'est une situation intéressante.

Il y en a parfois qui trépassent sans aide extérieure. Pensez aux vieux et aux malades qui succombent sans crier gare. Ça peut vous servir pour déguiser un meurtre en mort naturelle.

Quant aux suicidés, ils occupent une classe à part, cumulant les fonctions de proie et de chasseur.

Dans le cas qui m'intéresse, je voulais que ma victime soit clairement liquidée par autrui. Le public devait savoir que quelqu'un l'avait rectifiée. Mais je devais tout de même m'arranger pour qu'on ne devine pas que j'étais responsable de cette soustraction au monde des vivants.

J'ai pris mon temps. J'ai lu nombre de polars et étudié diverses techniques d'élimination. La littérature sur le sujet est copieuse. On peut s'y perdre. Après quelques semaines où je me suis diverti de différents homicides assez fantaisistes, j'ai préféré abandonner la fiction comme point de référence. Les romanciers sont des personnages attachants, mais leurs univers relèvent trop souvent de l'élucubration. J'avais besoin de pragmatisme.

Je ne devais surtout pas me disperser. J'avais décidé d'éliminer un publicitaire. Il me fallait donc apprendre les méthodes utilisées dans les agences de communication pour arriver à mes fins. « Toute contrainte est source de créativité », avais-je lu un matin lointain dans une revue prédigérée chez mon dentiste.

Je me suis ainsi inventé une profession *ad hoc* pour me présenter dans la plus grosse boîte en ville : Casquette. Nom ridicule.

— Bonjour, je suis Hubert Green, Ville de Montréal, département du recyclage. J'effectue une visite de routine afin de vérifier le contenu de vos bacs. Vous pouvez me montrer ça ?

La jolie réceptionniste brune a battu des paupières. L'écologie est tellement tendance de nos jours que les verts font figure de chevaliers des temps modernes, presque à égalité avec les pompiers.

— Vous recyclez, j'espère…

— Oh, évidemment, monsieur Green. Suivez-moi.

Elle m'a conduit jusqu'à un local exigu où l'on avait remisé de gros conteneurs à roulettes.

— Nous entreposons ici les papiers et cartons à récupérer, monsieur Green. Les employés de nettoyage du bâtiment se chargent de les vider deux fois par semaine : le mercredi et le vendredi. Bon tri...

Elle m'a quitté, semble-t-il à contrecœur. Un rapide coup d'œil m'a permis de m'assurer qu'il n'y avait pas de caméras de surveillance. En tous les cas, aucune n'était visible.

Nous étions mardi, et la masse de feuilles débordait déjà. J'ai fouillé dans les centaines de feuillets à peine utilisés, scannant chaque contenu, en quête d'un imprimé le plus formel possible. Je manquais d'espace, alors je vidais un bac dans l'autre. Après des dizaines de croquis débiles, de slogans vaseux et de photocopies de campagnes publicitaires anglaises, j'ai mis la main sur le document que je cherchais. Il y était inscrit en Helvetica majuscule : « BRIEFING ». Je l'ai empoché et j'ai remis le reste à sa place. J'étais en nage.

— Déjà ? s'est exclamée la brune, semble-t-il déçue.

— Tout va bien. Casquette se méritera une cote K.

— C'est bien ou c'est mal, monsieur Green ?

— C'est mieux que J, mais un peu moins que L.

Elle m'a encore souri, apparemment décontenancée.

Dès que j'ai eu rejoint ma Toyota aux vitres teintées, j'ai étudié le contenu de mon menu larcin. Il s'agissait d'un briefing pour concevoir et réaliser l'annonce TV d'une marque de yaourts sans gras et sans sucre. Tout un défi.

Inutile de suivre un long cursus universitaire pour en décoder le principe.

1. Déterminer la cible. À qui je m'adresse?
2. Déterminer l'action. Qu'est-ce que je dois faire?
3. Déterminer les moyens. Comment vais-je agir?
4. Tenir compte des ressources. Combien ai-je
   d'argent?
5. Créer une idée forte pour appliquer 2 à 1, avec
   3 et selon 4.

Il n'y avait rien de bien sorcier là-dedans. J'ai aussitôt rédigé un premier jet de mon propre briefing au verso de la feuille.

1. Cible: Ric Manzini, rédacteur senior chez
   Méga Concept.
2. Action: l'assassiner.
3. Moyens: à déterminer.
4. Ressources: mes maigres économies + ma
   débrouillardise.
5. Idée forte:?

Bon, ce n'était qu'une ébauche, mais je débutais dans le métier, j'assimilais la mécanique. La publicité n'est qu'une recette, somme toute, un art appliqué. Ce qu'ils appelaient la *Big Idea* se cachait souvent sous un jeu de mots ringard ou l'exploitation d'une pseudo-vedette pour promouvoir un produit sans âme. J'allais devoir me creuser davantage les méninges.

Je suis retourné chez moi avec une caisse de bière et un carnet vierge. J'ai écrit « IDÉES FORTES » au feutre noir sur la couverture, puis je me suis attelé à la tâche. Le Ric en question devait expirer et comprendre ce qui lui arrivait, au moins pendant les quelques secondes qui rempliraient mon réservoir de bonheur. Je ne lui tirerais donc pas dans le dos. Je devais agir de face et à visage découvert.

Il manquait une ligne à leur briefing: motivation.

Dans la publicité, elle est toujours la même : vendre. Dans mon cas, elle se résumait à un mot : vengeance. Ric avait conquis ma femme venue participer à un groupe de recherche concernant une annonce pour des plats cuisinés. Elle avait accepté l'invitation moins pour les cinquante dollars à la clé que par ennui, pour fuir notre banlieue médiocre. Affronter la ville où nous ne mettions jamais les pieds. En plus, l'idée de donner son opinion la séduisait. Pour une fois qu'on écoutait les simples gens. « Le vrai monde », comme ils disaient à l'ADQ. Ces *focus groups* s'avéraient plus efficaces que le soi-disant système démocratique d'élection à scrutin majoritaire.

Elle y alla un mercredi soir et rentra très tôt le jeudi matin. Elle y retourna chaque semaine pendant trois mois. Jusqu'à ce que je la suive chez Ric.

Elle ne saurait jamais que j'allais trucider son amant plein de fric. Mais lui devait comprendre son erreur avant d'atteindre l'empire des ténèbres.

D'où ma problématique : comment lui régler son compte avec originalité, avec un budget de production minimum (je ne voulais pas me ruiner pour ce salaud) et une expérience en la matière qui se résumait aux mouches noires écrasées sur les murs de notre chalet laurentien ? Même là, dans ce nid d'amour que je bricolais chaque fin de semaine avec soin, elle avait trouvé une excuse pour ne pas me rejoindre un vendredi soir. Mais je ne lui en voulais pas. Qu'avais-je de mieux à lui offrir ? Un jacuzzi ? Un pédalo ? Un nouveau ponton ? L'adultère guette tous les banlieusards.

Mais la *Big Idea* ? Pas si simple, en fait.

J'ai envisagé la torture. J'enlevais Ric et je le soumettais à un régime sévère : l'intégrale des pires messages publicitaires québécois, en boucle pendant une semaine. Le supplice pour un concepteur dans son genre. Mais cette méthode manquait clairement de « oumpf! », comme disaient leurs magazines professionnels.

Comment massacrer un pollueur de l'esprit ? Lui faire dégorger sa suffisance et ses cochonneries cérébrales ? Dégonfler cette baudruche vaniteuse qui se croyait géniale parce qu'elle avait inventé un jingle horripilant pour des agents immobiliers ?

Cette dernière image m'a aiguillé sur l'arme à utiliser. Inattendue, efficace et en lien avec son univers commercial, mon budget de fonctionnement et mes talents.

Ensuite, je devais trouver un moyen de m'introduire chez lui sans heurts.

J'ai étudié les mœurs de cette faune de communicateurs. Je me suis abonné aux *newsletters* où ils se gargarisent de leurs dernières réalisations. J'ai navigué sur leurs blogues où ils expliquent comment berner les « zoufs » en glissant des pubs dans les moindres recoins de leur espace physique et mental. J'ai assisté à une remise de prix d'un concours spécialisé. Ils se congratulaient bruyamment pour des panneaux où ils avaient collé du gazon. Le champagne coulait à flots. Vous avez dit pathétique ?

Ces gens souffraient d'égocentrisme aigu. Ils avaient besoin qu'on les aime, qu'on les regarde, qu'on les cite, qu'on les invite dans des émissions culturelles à la télévision. Les médias leur avaient bouffé une parcelle du cervelet. Ils se croyaient pertinents.

J'ai prétexté une gastro carabinée pour prendre congé et j'ai engagé un jeune *whiz* qui jouait au hockey avec moi le jeudi soir. Il avait échappé de justesse à une sentence à vie pour avoir conçu et diffusé un virus qui avait effectué le tour de la planète en quarante-huit heures, semant la panique dans les places boursières. Sous le sobriquet de Gang Boy, il avait tenu tête à des dizaines de cerveaux surpayés. Il n'avait sauvé sa peau que grâce à son âge : on ne peut pas si facilement emprisonner un gamin de quatorze ans.

— Peux-tu effacer un nom d'une liste d'abonnement ?

— Ben oui, *man*.

— Peux-tu aussi programmer une messagerie pour que le nombre de courriels reçus diminue d'heure en heure jusqu'à atteindre zéro ?

— Tellement *easy*.

— Sans te faire prendre ?

— Ben là, c'est un minimum.

Il était choqué que je puisse douter de ses capacités.

— Et trafiquer un BlackBerry pour qu'un gars ne reçoive plus aucun appel ?

Son clin d'œil m'a suffi. Comme le gamin n'avait plus le droit de posséder un ordinateur, je lui ai proposé de venir pianoter dans mon sous-sol pendant que ma femme se faisait ramoner dans le 514. Il trépignait.

Je me suis planté devant chez Méga Concept afin de surveiller l'évolution du moral de Ric. Les résultats ont dépassé toutes mes espérances. Après vingt-quatre heures, le créatif est sorti fumer chaque demi-heure. Il donnait des coups de poing dans les murs et consultait son mini-écran toutes les cinq secondes. La cyberdépendance a des effets stupéfiants.

Après trois jours, il ne se rasait plus. Il est même venu deux jours de suite avec le même jean déchiré.

Le quatrième jour, j'ai assisté à une scène violente où il a tenté d'étrangler une innocente stagiaire qui riait fort en répondant à son cellulaire.

J'ai prévenu mon employeur que je risquais de régurgiter sur ses souliers si je revenais travailler. Il m'a conseillé de me reposer encore.

Après cinq jours, mon ami le hacker avait coupé tout lien entre Ric et le reste de l'Univers. Son nom avait été supprimé de tous les forums de discussion. Aucun de ses mots de passe ne fonctionnait. Il n'avait plus accès à sa banque, ni à ses sites pornos, ni à sa page Facebook, ni à son Twitter, ni à ses innombrables adresses Hotmail, Gmail, Yahoo! et autres. Partout, on refusait ses codes et ses pseudonymes. Inconnu, erroné : recommencez.

Le vendredi après-midi, il expédia son Macintosh portable contre la façade du building où son agence avait élu domicile depuis six mois, dans la Cité du Multimédia du Vieux-Montréal. L'ordinateur se disloqua.

Manzini donna ensuite un violent coup de pied au aki qu'un jeune rasé venait d'échapper. Le gars lui balança un direct du droit pour lui apprendre les bonnes manières. Ric vacilla, puis réintégra son bureau. Il ressurgit armé d'une énorme règle en acier, mais le joueur avait disparu.

Planqué derrière les vitres teintées de ma Toyota, je jubilais.

Il fallait porter l'estocade.

Je l'ai suivi ce soir-là. Ric errait de bar en bar, en quête de reconnaissance. Je l'ai apostrophé :

— Eh, Chose !

— C'est à moi que tu parles ?

— Ben oui, Chose. Je me rappelle jamais ton nom.

— On se connaît?

— Ben là, franchement! Tu viens pas de Joliette?
Le cégep de Lanaudière!

— Je suis de Québec.

— Ah ben, tant pis... Chose. Enfin... Machin.

Il a vidé son verre de cognac, cul sec.

Le lendemain tôt, je voulais profiter de la journée
de rabais fous malades chez RONA. J'ai raconté à ma
femme que j'avais besoin de faire réparer ma nouvelle
perceuse Ridgid 13 mm garantie à vie qui avait grillé
sans prévenir. J'ai attrapé le sac noir et orange avec la
bête au bout de son fil et embrassé mon épouse sur
le front. De mon volant, je l'ai aperçue qui tentait en
vain de composer un numéro.

J'ai fait une courte halte, comme annoncé, chez
RONA. Je n'étais pas un menteur, moi. J'ai acheté un
foret pour bois tendre de 9/32" avec un revêtement en
titane, à un prix défiant toute concurrence (8,99 $),
ainsi que quelques articles de qualité qui allaient me
servir à exécuter mon plan.

Mon jeune ami m'avait libéré un accès à la ligne de
Ric. Je l'ai appelé en passant le pont. Samedi matin,
ça roule toujours bien.

— ALLO?

Son ton sonnait le manque. C'était le premier appel
qu'il recevait depuis presque une semaine.

— Hey! Bob! Quoi de neuf? ai-je lancé, désinvolte.

Un lourd silence a suivi mon entrée en matière.

— Bob! Tu m'écoutes?

— Qui est à l'appareil?

— Ben c'est moi: Roger. Ton chum Roger. J'arrive...

Il a raccroché. Il n'existait plus et voilà que je
l'affublais déjà d'une nouvelle identité.

Six mois de cocufiage me semblaient une date limite à respecter. Je me suis garé à deux rues de son condominium du Plateau-Mont-Royal et je l'ai rappelé. Il a décroché instantanément.

— OUI?

— Je suis ton unique ami.

— QUOI?

— Ric, je suis le seul qui t'adresse encore la parole.

— Qui... Qui êtes-vous? Que voulez-vous?

— Je veux ton bien, Ric. Oublie pas que sans moi, t'es rien.

J'ai longé le trottoir désert jusqu'à la porte de son immeuble. J'ai sonné chez lui. Un déclic m'a averti qu'il avait débloqué l'entrée. Je suis monté par l'ascenseur. Il m'attendait sur le seuil, la mine défaite. La nuit avait été difficile.

— Qui êtes-vous?

— Je suis celui qui décide si tu existes ou non. Entrons!

Il m'a obéi. Le fauve s'était transformé en mouton servile. Ma *Big Idea* fonctionnait à merveille: ma cible devenait docile. Prêt à tout pour s'échapper de son désert communicationnel, il m'ouvrait son nid. Je n'avais plus qu'à passer à l'action létale avec mes maigres moyens. Les prix fous de RONA aideraient à cela.

Nous sommes allés dans sa vaste cuisine design où il s'est servi un grand verre d'eau du robinet.

— Il y a quelqu'un avec toi?

Ma question n'attendait pas de réponse. Elle ne visait qu'à lui rappeler son état d'abandon.

— Comment avez-vous fait ça?... M'isoler... Pourquoi?

— Pour me venger, Ric.

— …

Son système de défense ne réagissait plus. Dépro-
grammé. J'ai déposé mon sac et j'en ai extrait la *drill,*
pesante et forte.

— C'est quoi ça ?

— Tu le vois bien, gros malin.

— Pour quoi faire ?

— Te réparer la tête, hostie de malade.

Je lui envoyé un coup de perceuse dans le nez. Il
s'est écroulé en gémissant. Je l'ai aussitôt traîné sur le
canapé où je l'ai saucissonné avec de l'adhésif toilé, en
spécial à 2,99 $. Une aubaine. Je l'ai bâillonné.

— Ici, tu seras confortable.

Ses yeux roulaient de droite à gauche.

— C'est là que tu la baisais, hein ?

Il ne pouvait pas répliquer.

— Maintenant Ric, je vais jouer au docteur avec
toi. Le médecin va soigner tes troubles de paranoïa,
ton désir d'exister, de tout ramener à toi… même
les blondes des autres. C'est pas normal d'agir ainsi.
La morale réprouve ce type de comportement. Aucune société ne peut s'épanouir si ses membres ne
songent qu'à berner leurs prochains. L'altruisme et
la compassion doivent prendre le pas sur les tas de
merde dans ton genre. Il faut que le mal s'échappe
de ce corps.

J'ai enfilé une combinaison de peintre à 5,99 $,
des gants à 2,99 $ la paire, ainsi que des lunettes de
protection à 1,99 $. Puis j'ai branché mon appareil. J'y
ai fixé la mèche et j'ai commencé à forer. Un trou par-
ci, un trou par-là. Le sang giclait. Ses pupilles dilatées
hurlaient sa douleur. Je chantonnais *Le poinçonneur des
Lilas* de Gainsbourg : « Et on te mettra dans un grand
trou… »

— Tu vois, Ric, même les maris trahis finissent par s'aventurer hors du 450.

Je reconnais que je me suis complu dans ma tâche. Mais ça arrive souvent avec un bon outil. On ne sent pas l'effort. On travaille avec entrain et plaisir. J'imaginais le médecin légiste se tromper en recomptant le nombre d'orifices artificiels dans la peau du publicitaire :

— 256, 257… Euh… 259 ?… Aaah… Je recommence…

La puissance de la Ridgid me facilitait grandement le travail. Les Chinois ont effectué d'énormes progrès en termes de fiabilité, il faut le reconnaître. J'ai perforé tout ce que j'ai pu avant d'attaquer son crâne. Le pauvre ne m'écoutait déjà plus. J'ai réussi à transpercer le cuir chevelu une bonne vingtaine de fois avant de me résigner à admettre qu'il était mort. Déjà ?

J'ai contemplé le résultat, assez fier de moi, je l'avoue. Ric ressemblait désormais à une chambre à air attaquée par une boîte de clous.

Sur le chemin du retour, j'ai brûlé la combinaison, les gants et les lunettes. Et puis – véritable crève-cœur – je me suis débarrassé de ma perceuse *made in China* dans le fleuve. Ma femme m'attendait, énervée. Je lui ai fait l'amour dans le garage. Nous avions tous les deux grand besoin de nous défouler.

Vous voyez : avec vingt dollars et un peu d'imagination, on trouve toujours une nouvelle façon de tuer. C'est vraiment à la portée de n'importe qui.

La Chose

On a longtemps raconté qu'une créature habitait dans le bois derrière la maison des Longpré. Plusieurs témoins l'avaient aperçue. Chaque fois, la lune brillait trop peu pour qu'on puisse la distinguer avec précision. C'est pour ça qu'on l'avait surnommée « La Chose », parce qu'on ignorait si elle était humaine, animale ou allez savoir quoi.

Le premier à en avoir parlé, c'est mon grand-oncle Hubert. Il s'était égaré un dimanche en revenant de la foire agricole et avait aperçu une « gigantesque ombre ailée qui flottait entre les troncs ». Tout le monde savait bien qu'il avait bu un coup de trop, alors personne n'avait pris son témoignage au sérieux. Après un bon roupillon, il aurait oublié son apparition. Mais non, il insistait :

— Elle me tournait autour en ricanant. Je pense que c'était la mort qui voulait me frapper, mais les arbres l'en ont empêchée.

Un an plus tard, le plus jeune des Lefebvre disparut soudainement après l'école. Tous ses amis étaient rentrés chez eux, sauf lui. Pourtant, l'autobus scolaire les avait déposés ensemble au même endroit. Le gamin marchait le long du fameux bois et soudain, plus personne. La famille décida d'organiser une battue. Autant vous dire que mon grand-oncle Hubert nous rebattit les oreilles avec son expérience : « C'est la mort qui habite là, elle a pris le p'tit. » Les hommes partirent avec des lampes et des haches, car le boisé était dense dans ce coin. Il n'avait jamais été coupé à cause d'une interminable chicane d'héritage.

Ils retrouvèrent le jeune, pétrifié, recroquevillé sous une souche arrachée. Il bredouillait des paroles mystérieuses :

— Elle est venue, elle a de grandes ailes noires.

Il avait aperçu La Chose qui planait, tel un fantôme sombre. Le gamin rata sa sixième année de primaire et supplia ses parents de l'envoyer en internat à Québec. On ne le revit jamais au village.

La rumeur enfla. Il y avait bien un mauvais esprit sous les branches. Les enfants répétèrent et amplifièrent les événements. Les parents se servirent de cette psychose pour effrayer leur progéniture en cas de mauvaise conduite : « Si tu n'es pas sage, tu passeras la nuit avec La Chose. »

Les vieux ne riaient pas. Imaginer que la mort rôdait si près, ça leur donnait froid dans le dos. Quand ils n'avaient pas d'autre choix que de longer le bois, ils accéléraient le pas, au risque de se fouler une cheville et de rester à sa merci. Après la tombée de la nuit, personne ne s'aventurait plus par là.

Des témoignages s'ajoutaient peu à peu pour consolider la légende. Untel avait remarqué une forme floue qui tournoyait à la cime des arbres. Un autre affirmait qu'une voix pénétrait son autoradio et l'invitait à la rejoindre dans les bosquets quand il rentrait tard de son travail en ville. Le doute n'existait plus. La Chose hantait la forêt et personne n'oserait jamais l'en déloger.

Un seul point demeurait rassurant : si on la laissait tranquille, elle n'irait pas semer le trouble ailleurs. Chacun chez soi, on avait ainsi apprivoisé notre terreur.

Jusqu'au jour où ces étrangers s'installèrent au village. Ils arrivaient de loin et avaient de drôles de manières. Ils ne mangeaient pas comme nous. Mais surtout, ils demandèrent l'autorisation d'aller ramasser des branches mortes dans le bois qui semblait abandonné derrière chez les Longpré. On leur répondit qu'on ignorait toujours à qui appartenait cette parcelle et on les laissa pénétrer à l'ombre des érables. Nous ricanions à l'abri de nos rideaux tirés.

Le père y alla à plusieurs reprises et en ressortit avec des brouettes pleines de belles bûches. La mère le rejoignait parfois avec une boîte à lunch. Leurs deux enfants s'y promenaient aussi sans risque. Si bien que les villageois se vexèrent. Cette histoire avec La Chose n'avait jamais été qu'une fable ridicule déformée par le temps. Un conte pour les peureux.

Le garagiste décréta qu'il ouvrirait la chasse dans ce bois préservé. On se disait que ce périmètre serait giboyeux, depuis le temps qu'on l'évitait. Il partit un matin venteux, fier et sûr de lui, affirmant qu'il ne reviendrait sûrement pas bredouille. Au crépuscule, son chien rentra sans lui.

Personne ne voulut s'aventurer dans le bois pour entreprendre des recherches. On alla frapper à la porte des étrangers et on leur expliqua toute la saga depuis le début. On les supplia d'y aller à notre place, puisque La Chose semblait les ignorer. Le père n'émit aucun commentaire. Il attrapa une lanterne et disparut dans l'obscurité.

Le lendemain matin, l'homme ressortit du bois avec le cadavre du garagiste dans sa brouette. Comment avait-il fait pour s'en sortir indemne ?

— J'ai eu du mal à le trouver, tellement il faisait noir. En fait, je l'ai découvert à dix mètres d'un tas de rondins que j'avais empilés. Je m'en suis approché parce que je voulais vérifier l'état de la bâche que j'avais installée pour les protéger de la pluie. Lui, il était face contre terre. J'ai l'impression qu'il est tombé sur son fusil et que le coup l'a atteint à la poitrine. Il a dû mourir instantanément.

— Ta bâche, elle était bien fixée ?

— Bah non ! Avec ce vent, elle s'était à moitié détachée. Elle flottait en l'air comme une…

— Une Chose ?

Le lac aux Adons

Le problème avec l'été québécois, c'est l'hiver qui précède. De la mi-novembre à la mi-avril, on doit compenser le manque de chaleur et de bikinis. Alors, on boit de la bière. On mange des poutines et des pizzas, du poulet grillé avec des chips. On se gave de nourriture réconfortante, grasse et régressive.

Je parle pour moi, mais je sais bien que je ne fais pas figure d'exception.

Arrivé à la fin d'avril, je n'ai pas besoin de jeter un coup d'œil sur un pèse-personne : je sais que j'ai dû prendre au minimum une douzaine de livres. Qu'il va falloir perdre pour juillet.

Mais j'ai un truc imparable pour régler mon problème : la course à pied en salle, six jours sur sept.

Cette année-là, je m'étais inventé un programme redoutable : je commencerais par cinq kilomètres le premier jour. Le lendemain, je rajouterais cent mètres et ainsi de suite à chaque nouvel entraînement. Je courrais donc six cents mètres de plus hebdomadairement. Lorsque je conclurais mon programme, on me surnommerait la « gazelle du Plateau ».

Bien sûr, ça prenait de la stimulation.

Mais depuis quelques années, j'avais une triple motivation : la perspective de retrouver mes trois voisines au lac Vert. Mon orgueil et ma libido me commandaient de me présenter avec le ventre plat sur notre petite plage des Laurentides. Je nageais autour d'elles pendant la journée, et la nuit je rattrapais plus de onze mois d'abstinence. Il n'y avait pas de temps à perdre. Les vacances de la construction ne durent que deux semaines.

Alors pour profiter à cent pour cent des joies de mon court été, je cavalais après mon ventre plat et mes prochains ébats avec Simone, Michelle et Aglaé.

Mais pratiquer ainsi le fond, ça restait d'un ennui mortel. On dit que l'endorphine secrétée nous euphorise. Mouais...

Je m'étais inscrit dans un club de gym, au coin du boulevard Saint-Laurent et de la rue Rachel, et j'attendais toujours qu'une des quatre machines face aux fenêtres se libère. Je pouvais ainsi courir sur place, avec l'impression de me trouver dehors, tout en tournant le dos aux corps parfaits qui avaient passé la saison froide à grignoter de la laitue.

Pour varier les plaisirs, je ne m'entraînais jamais à la même heure. Mon métier me permettait cet horaire souple. J'étais plutôt libre. Je venais transpirer matin, midi et soir. Et je regardais l'immeuble gris en face du club de gym. C'était un grand bâtiment, appelé le Paris Lofts, entièrement refait à neuf, qui abritait des condominiums de luxe. Il ne s'y passait quasiment rien.

Je voyais les gens se lever, prendre leur café, manger, s'habiller... Ce qui m'a frappé après quelques jours à trottiner, c'est qu'aucun occupant ne semblait travailler. Certains restaient à la maison à pianoter sur leur ordinateur portable. Il paraît qu'on peut gagner sa vie en tenant un blogue. Il faudra qu'on m'explique la marche à suivre ; j'ai plein de choses à raconter, moi. Les autres se levaient tard, sans horaire fixe. Ils allaient et venaient, jamais pressés.

J'ai toujours eu une bonne vue. Pas besoin de lunettes pour noter que le propriétaire de l'appartement du quatrième étage nord ne quittait son logement que le mercredi matin, lorsque sa femme de ménage astiquait chez lui, de neuf heures à midi.

Au troisième sud, le couple vivait dans la chambre. Ils se faisaient livrer de la pizza et des mets chinois, et regardaient leur écran plat toute la journée. C'était quoi leur métier ? Critiques d'émissions télévisées ?

Au troisième nord, un quinquagénaire au crâne dégarni recevait chaque vendredi soir une femme différente. D'après la rapidité avec laquelle chacune le déshabillait, il ne pouvait s'agir que d'escortes.

Au quatrième sud, juste en face de mon tapis roulant, il y avait celle qui m'intéressait. Une belle rousse dans la trentaine, qui habitait seule. Elle avait un mec régulier, qui lui rendait visite trois fois par semaine : lundi, mercredi et vendredi. Le type possédait un physique impressionnant, style déménageur de congélateurs pleins à craquer. En me penchant en avant, j'ai remarqué le gros Dodge RAM 1500 noir stationné un peu plus loin, à moitié sur le trottoir, avec un Haïtien au volant qui fumait par la fenêtre ouverte. Quand le balèze avait fini son affaire avec sa maîtresse, son chauffeur l'emmenait ailleurs.

Après trois semaines, j'ai noté que chaque mercredi, le costaud se pointait avec une grosse valise foncée. Quand il sortait de l'immeuble et traversait les vingt mètres qui séparaient la porte d'entrée de son 4 x 4, son bagage pesait visiblement beaucoup moins.

Le mercredi était aussi le seul soir de la semaine où la ravissante rousse travaillait. Les rideaux restaient tirés dans sa chambre, mais je la voyais s'activer dans le salon, souvent en nuisette. J'aime ça, les nuisettes. Ça me motivait dans mon activité solitaire. J'avais envie de courir plus vite pour la rejoindre, mais je continuais mon surplace. Je voyais bien qu'elle emballait des paquets. Elle en déposait une dizaine de la taille d'un dictionnaire sur la longue table en chêne, emballés dans du papier-cadeau multicolore.

À partir de juin, j'ai concentré mon entraînement sur les plages horaires qui suivaient les visites du porteur de valise. Je voulais savoir ce que la fille faisait avec ses colis enrubannés.

Le jeudi matin, elle plaçait ses paquets dans deux grands sacs de magasinage en plastique toilé. La rousse sortait de chez elle, mais jamais du building. En observant attentivement les allées et venues dans les autres condominiums, j'ai pu découvrir son parcours. Elle commençait par son voisin immédiat, puis descendait aux logements du troisième, et ainsi de suite à tous les étages. Je ne la voyais pas dans chaque appartement, mais j'apercevais ses longs cheveux ou je remarquais un type en peignoir qui se levait de son canapé et revenait avec son paquet.

Je suis devenu terriblement curieux. Mes neurones se sont emballés. Qu'est-ce qu'un gars avec une dégaine de mercenaire pouvait bien vouloir écouler de façon si discrète? Je ne voyais que deux solutions possibles : des dollars à blanchir ou de la dope à distribuer. Dans chaque cas, ça m'intéressait.

Je ne vous ai pas parlé de mon métier, car ce n'en est pas vraiment un. C'est plutôt une prédisposition. Je suis un opportuniste. J'attends qu'un adon se présente pour lui sauter dessus. Cela peut être n'importe quoi : un délit d'initié qui me permettra de décupler la valeur de mes actions, une entreprise en difficulté que je rachète pour une bouchée de pain, un mari infidèle que je fais chanter... Il suffit de demeurer à l'écoute de tout et de rien. Le hasard fait bien les choses.

Dans le cas présent, je savais que j'étais sur une touche sérieuse. La conjoncture m'était favorable.

En attendant, je m'activais les mollets et je réfléchissais.

Il ne suffit pas de dérober le bien d'autrui pour s'enrichir. Encore faut-il l'écouler à un tarif raisonnable et sans prendre de risque. Dans mon secteur d'activité, certains me considèrent comme un gagne-petit. Peut-être. Mais si tous les petits gagnaient autant que moi, le niveau de vie des Québécois ferait un sérieux bond en hauteur.

Pour une fois, j'allais peut-être gagner gros.

La came ne se fourgue pas n'importe où. L'argent nécessite un réseau solide. Vu le poids des sacs d'épicerie transportés par la rouquine, je pouvais envisager une sabbatique digne de ce nom.

La règle de survie de l'intrigant, c'est de ne jamais rester immobile. On bouge, on rencontre du monde, on écoute, on lit, on échange des infos avec des collègues. Une idée en amène une autre... Un mercredi soir, après la visite du costaud livreur, j'ai passé la soirée dans un bar huppé du centre-ville, à siroter du Perrier. Nous étions trois maniganceurs à discuter. J'ai lancé le débat sur un mode badin :

— Un gros tas de petites coupures, qui ça peut bien intéresser de nos jours ?

Mes deux amis ont finement souri. L'image méritait qu'on s'y attarde.

— J'aurais quelqu'un, mais il faudrait régler ça dans les huit jours, m'a répondu Tony, un petit gros suintant.

— Je t'en reparle alors, Tony...

J'ai laissé passer quelques minutes avant de poursuivre :

— Un jumbo paquet de poudre, qui ça peut bien tenter à notre époque ?

Mes deux amis ont gardé leur flegme. La proposition valait la peine qu'on y réfléchisse.

— J'aurais un débouché, mais ils cherchent du stock pour la semaine prochaine, m'a lancé Hubert, un grand sec et nerveux.

— Je te tiens au courant, mon Hubert...

J'avais couvert mes arrières. Il ne restait plus qu'à commettre le vol au plus vite.

Jeudi, vendredi et samedi, j'ai couru sans aboutir nulle part. Comment et quand devais-je dévaliser la rousse ? La coincer le mercredi soir après sa séance avec le mastodonte ou la cueillir le lendemain matin lorsqu'elle sortait de chez elle ?

Le jeudi, son retard serait vite remarqué par ses voisins qui l'attendraient.

Dimanche, je me suis reposé en visionnant un vieux film que j'adore : *L'arnaque.* Ça m'a requinqué. J'ai passé ma paume sur mon ventre pour en vérifier la tonicité. Nous étions à la mi-juin. J'avais presque retrouvé le physique idéal pour jouir de mon été.

Lundi et mardi, j'ai allongé ma course. Mon impatience grandissait. Il fallait que je la calme.

Le mercredi, j'étais fidèle au poste pour m'assurer que la livraison s'effectuait comme d'habitude. Le malabar a débarqué avec son fardeau hebdomadaire. Il a réglé son affaire à la coquine et s'en est allé, délesté.

La rousse a peu après installé les paquets sur la table marron foncé.

Je suis descendu jusqu'à ma voiture stationnée une rue plus loin. J'y ai échangé mon sac de sport contre un autre de travail et je suis reparti ganté, mon passe-partout en poche. Cinq minutes plus tard, je grimpais les escaliers du Paris Lofts. Au quatrième étage, je me suis dirigé plein sud pour aller écraser la sonnette de l'appartement de la belle.

Personne n'était censé atteindre cet endroit sans l'avertir par l'interphone, à moins d'avoir la clé de l'entrée. Elle a vérifié à travers l'œilleton. J'ai souri candidement en exhibant un emballage de papier-cadeau similaire à ceux qu'elle utilisait. Le stratagème a fonctionné, car elle a entrouvert sa porte blindée.

— Oui, qu'est-ce que...

Je ne lui ai pas laissé le temps de s'interroger davantage sur le pourquoi de ma présence sur son seuil. J'ai aussitôt poussé la fille et je l'ai basculée au sol. Après l'avoir immobilisée avec des *tie wrap* et bâillonnée avec du *duct tape,* je l'ai enfermée dans le placard, alors qu'elle roulait ses beaux yeux épouvantés. J'ai saisi les deux sacs de magasinage déjà remplis de leurs petits colis et je me suis éclipsé.

De retour dans ma Toyota Tercel grise, j'ai démarré en gardant mon calme. Tout cela avait presque été trop facile.

J'ai conduit jusqu'au parc La Fontaine. Je me suis arrêté sous les érables de l'avenue Calixa-Lavallée et j'ai commencé à déballer l'un des dix colis identiques. Il devait peser un kilo.

Pile ou face : du fric sale ou de la poudre à consommer par les narines ? Ou bien une surprise : du plutonium, des cartouches d'Uzi, du caviar iranien ?

Le portrait du très honorable William Lyon Mackenzie King sur les liasses de billets neufs a mis fin au suspense. De beaux cinquante dollars bien roses, plus faux que nature, mais admirablement reproduits. J'ai marché jusqu'à la cabine téléphonique au coin de la rue Rachel pour prendre rendez-vous avec Tony le graisseux. Une heure plus tard, je lui échangeais mon pactole contre la moitié du montant en vraies coupures usagées. Un marché avantageux pour nous deux.

Le lendemain, ma curiosité m'a poussé à venir courir comme d'habitude. L'été commençait officiellement le 21 et ce n'était pas parce que j'étais riche que je devais redevenir mou.

En face, il ne s'est rien passé jusqu'à dix heures, mais j'ai remarqué que les occupants des condominiums s'agitaient anormalement. Je me suis posé la question de leur oisiveté. Étaient-ils devenus riches grâce à la fausse monnaie ou habitaient-ils déjà là quand miss auburn les avait recrutés ?

À dix heures quinze, le costaud a fait irruption chez son amante. Il a dû vite la découvrir dans son placard, car il a aussitôt téléphoné. Dans les autres appartements, les occupants ont subitement rempli de vêtements des valises.

À onze heures, le Paris Lofts était aussi désert que si on y avait déclaré une épidémie de choléra.

Au quatrième sud, la fille a repris vaguement des forces avant de manger une méchante volée. Le colosse l'a laissée sur le carreau.

Fin du second acte, comme ils disent au TNM.

Je n'ai rien changé à ma routine active et j'ai gagné mon chalet comme prévu, le 19 juillet. L'air était chaud, le lac avait eu le temps d'atteindre sa température idéale. À mon arrivée, Simone et Aglaé batifolaient déjà dans l'eau. Le ventre impec et les cuisses en béton, je me suis dépêché d'enfiler mon maillot de bain. Enfin !

Mes trois amies sont infirmières. Elles travaillent ensemble aux urgences à l'Hôpital Notre-Dame. C'est là que je les ai connues, un soir où un mauvais perdant m'avait cassé le bras parce que je trichais au poker. Elles sont aussi charmantes que dévouées et ont l'habitude de faire des roulements dans leur quotidien. Je peux donc jouer au docteur avec chacune d'entre elles, à tour de rôle. Il n'y a rien de prédéterminé, ni d'ordre à respecter, on agit selon notre instinct. Mes triplettes sont girondes et pas curieuses. Aucune ne m'a jamais demandé quelle était ma source de revenus.

J'ai couru jusqu'à la plage en affichant mon corps retrouvé. J'ai plongé pour rejoindre mes naïades. Simone et Aglaé m'ont accueilli chaleureusement.

— Où est Michelle ? les ai-je interrogées.

— Elle s'est mariée au printemps, alors nous avons invité une amie, pour la remplacer et partager le prix de la location avec nous. Elle arrive tout à l'heure, m'a répondu Simone.

Devant mon air sceptique, Aglaé a ajouté :

— Tu vas l'adorer...

Moi, je suis pour le changement, tant qu'il est source de réconfort et de plaisir.

J'ai crawlé comme un forcené et traversé le lac dans sa largeur. Deux semaines, c'est vite passé, il n'y avait pas de temps à perdre...

Le soir venu, j'ai fait mon traditionnel barbecue. Nous avons débouché quelques bouteilles de rosé. Nous avons bu à l'amour et à l'amitié, sans chercher à en définir les limites. L'ambiance était à la joie de vivre, à la gaieté.

— Elle arrive quand votre amie ? Comment s'appelle-t-elle ?

— Elle ne devrait plus tarder.

— Elle s'appelle Lola.

Quand la nuit est tombée, j'ai proposé à Simone de passer aux choses pas sérieuses.

— Tu sais que vous avez la priorité, Aglaé et toi...

— Oui, mais on a beaucoup parlé de tes performances à Lola... Alors, elle a hâte de te connaître... Elle a réservé ta première nuit, celle où tu es le plus en feu. Ça fait partie du *deal*...

J'ai rongé mon frein en descendant des verres de vin. Cinquante semaines d'attente, c'est long. Je discutais sans conviction.

— Vous l'avez connue où ?

— À l'urgence, comme toi. Elle est arrivée en juin.

— Elle avait quoi ?

— Secret professionnel...

Deux heures ont passé, je cognais des clous...

— Va te coucher, elle te rejoindra, m'a murmuré Simone.

Devant mon hésitation, Aglaé a répété :

— Tu vas l'adorer.

J'ai fini par retourner à mon chalet et je me suis écroulé sur mon lit, ivre.

Un claquement de portière de voiture m'a réveillé un peu plus tard. Je me suis levé d'un bond et j'ai jeté un coup d'œil entre deux lattes des persiennes. Une superbe silhouette se rapprochait de mon chalet, d'une démarche souple et chaloupée. Lorsqu'elle est passée sous le lampadaire de mon allée, j'ai reconnu ce mouvement de tête.

La femme du quatrième sud !

En fait, j'ai surtout reconnu ses longs cheveux roux et ondulés, et sa dégaine. Je me suis vite recouché, le cœur battant. Quelques minutes plus tard, une ombre se faufilait dans ma chambre.

Ses vêtements ont glissé sur le sol et elle m'a rejoint entre les draps. Quand j'ai voulu caresser son visage, elle a écarté ma main.

— Laisse-moi faire…

Lola ne pouvait pas m'avoir replacé, on y voyait comme dans un four. Et puis, mes trois amies et moi, nous n'avions jamais pris une seule photo depuis que nous nous connaissions. Dans ma profession, on a toujours intérêt à garder un profil bas. Mon caractère opportuniste a repris le dessus. J'avais une femme au corps de rêve dans mes bras : j'aurais eu tort de ne pas en profiter. On verrait bien plus tard.

Elle a finalement marqué une pause après notre série de galipettes. Moi, j'avais l'adrénaline en ébullition, j'étais incapable de fermer un œil. J'ai ruminé la situation une bonne minute avant que mon esprit pratique ne reprenne du service. Je ne pouvais pas laisser cette bombe à retardement dans mon propre lit. Le lendemain, Lola m'aurait reconnu et étripé.

J'ai fait ce que n'importe quel autre arriviste aurait fait à ma place, j'ai susurré :

— Lolita… et si on prenait un petit bain de minuit… Mmm ?

On a couru en tenue d'Ève et d'Adam jusqu'au lac. On a plongé ensemble, puis je l'ai vite noyée. Elle n'a pas eu le loisir de réagir.

J'ai attendu quelques minutes, puis j'ai nagé loin de la berge, où j'ai abandonné son corps. J'ai crié pour rameuter mes deux voisines qui ont aussitôt rappliqué.

— Lola… Elle a coulé, d'un seul coup… Elle ne répond plus !

Simone a appelé les secours. À l'aube, un nageur a retrouvé Lola coincée dans des roseaux et l'a ramenée jusqu'à notre petite plage.

J'ai eu un choc en découvrant sa figure. On aurait dit qu'elle portait un masque d'Halloween. Comme si elle avait été atrocement mutilée par un molosse.

Je n'avais pas beaucoup de remords avant de découvrir son visage, je n'en eus plus du tout après. Je venais tout simplement de procurer un peu de plaisir à une pauvre fille à jamais défigurée.

Aglaé semblait gênée…

— Tu ne nous en veux pas ?

— De quoi ?

— On ne voulait pas que tu voies son visage avant d'avoir couché avec elle. C'est pour ça qu'on lui a demandé d'arriver à la noirceur…

Je l'ai rassurée :

— J'ai adoré.

Elles étaient pardonnées.

Quand les policiers de la Sûreté du Québec sont arrivés, elles leur ont tout expliqué :

— Depuis son accident de voiture… enfin, ce qu'il prétendait en être un… le chum de Lola l'avait laissée tomber. Elle était en manque d'amour. Elle prenait beaucoup de médicaments…

Aglaé a suggéré que mon empressement de la première nuit avait dû amplifier son émotivité. Le médecin dépêché sur place a fait confiance à ces expertes infirmières et il a conclu à une hydrocution.

— C'est très fréquent à cette époque de l'année. Les gens sont trop impatients de se saucer.

Ils ont emporté le cadavre de Lola.

Les vacances ont repris, comme si de rien n'était. L'été est court au Québec, il ne faut pas en gaspiller une miette.

Colis piégé

Sébastien n'était pas en retard, mais presque. Il avait étiré au maximum le temps passé au lit après la sonnerie du réveil, s'était rendormi en attendant que le café infuse, puis avait gaspillé de précieuses minutes à chercher ses lunettes qu'il avait retrouvées dans le frigo, derrière le beurrier.

Déjà dix heures, il devait absolument quitter l'appartement, sinon il raterait le train express de dix heures dix-sept, pointerait au bureau après onze heures et se ferait incendier par M. Raymond, qui n'attendait que ça pour le foutre à la porte.

Pas une seconde à perdre.

Étienne enfila sa veste en velours côtelé, jeta un œil dans le miroir sous le portemanteau et tempéra les ardeurs de son épi en le collant avec un peu de salive. Il attrapa ses clés, mit la main sur la poignée. Il demeurait dans les temps.

Le carillon de l'entrée retentit à cet instant précis.

Il ouvrit instantanément, révélant un facteur qui se tenait sur le seuil en se curant la narine gauche avec application. Le fonctionnaire surpris faillit s'enfoncer l'index jusqu'au nerf optique. Il retira vite son doigt sale de l'orifice, puis reprit sa superbe d'employé des postes.

— Un colis pour M. Sébastien Mattera.

— Hein ? Oui. C'est moi.

Sébastien n'achetait jamais rien par correspondance et n'entretenait aucune relation avec de lointains distributeurs de marchandises. Ce qui accentua son étonnement.

— Signez là, s'il vous plaît.

Le préposé lui tendait un stylo-bille à encre noire accompagné d'un formulaire en trois exemplaires. Sébastien vérifia l'orthographe de son nom, puis le numéro de la rue. Tout semblait correct. Cet envoi lui était vraiment destiné. Le temps filait, alors il parapha le reçu, glissa la boîte en carton sous son bras, claqua la porte et dévala les escaliers en criant merci à celui qui avait désormais le loisir de compléter l'entreprise de nettoyage de ses nasaux.

Sébastien courut jusqu'à la gare, aperçut le convoi qui arrivait déjà, fit signe au conducteur de la locomotive de l'attendre et parvint sur le quai une minute avant le départ.

Il s'affala sur une banquette, faisant rebondir un vieux chauve et une collégienne qui écoutait sa musique beaucoup trop fort pour espérer garder l'usage de ses tympans jusqu'à sa majorité.

Sébastien prit une profonde inspiration, tentant d'apaiser son pouls qui s'emballait. Au moins, il ne serait pas licencié aujourd'hui, mais ça avait été à un cheveu de mal finir. Tout ça à cause de l'intervention de ce postier au pif pollué.

Il replaça ses lunettes et examina le colis qu'il avait posé sur ses genoux. C'était une grande boîte de biscuits au chocolat sur laquelle était collé un papier avec ses coordonnées : Sébastien Mattera, avec les deux T comme il faut. Le nom de l'expéditeur était illisible. Il estima le poids de l'emballage à moins de un kilogramme.

Et maintenant ?

Sébastien savait qu'il restait exactement seize minutes avant d'arriver à destination. De quoi reprendre son souffle et, surtout, ouvrir le mystérieux envoi. Sébastien était de nature curieuse.

Il commença à arracher les différentes couches de scotch. Chaque fois qu'il en ôtait une, il sentait une pression à l'intérieur. Il lança un regard noir à son voisin indiscret, puis décolla lentement la dernière bande, écrasant le sommet du contenant pour l'empêcher d'exploser.

Qu'avait-on dissimulé là-dedans ? Un pantin monté sur ressort ? Une bombe artisanale ? Des excréments de caniche nain ?

Quand il libéra le couvercle, celui-ci s'ouvrit de lui-même, laissant sortir un morceau de tissu jaune et blanc. Étienne tira sur le bout de coton qui révéla une chemise à manches courtes, aux couleurs délavées. Il ne l'avait jamais vue. Elle semblait propre, mais passablement élimée.

Sébastien plia de façon sommaire la chemise et la glissa sous la boîte pour voir ce qu'il y avait d'autre. Il répertoria deux slips gris, une paire de chaussettes bariolées, un tee-shirt verdâtre avec un gros logo marqué Champion sur le devant et une casquette olive sans inscription. Tous les effets étaient usagés et froissés. Aucun ne lui avait jamais appartenu.

L'adolescente afficha un sourire narquois. Sébastien se retrouvait en train de déballer des vêtements fripés devant un public captif. Désagréable sensation, car il ne pouvait pas non plus expliquer à ces inconnus que ces choses ne lui appartenaient pas.

Il n'y comprenait rien. Qui lui acheminait de telles vieilleries?

Il devait y avoir une lettre pour expliquer cet envoi. Sébastien examina le fond du paquet, puis l'intérieur de chaque vêtement, dépliant les chaussettes, inspectant les poches de la chemise. Pas un mot, pas une carte de visite.

Il tenta encore de déchiffrer le nom de l'expéditeur. Le gribouillis permettait juste de reconnaître un B maladroit, un F penché et un G si indécis qu'il aurait pu être un C ou un O. Quant à l'adresse, elle avait été remplacée par deux traits parallèles suivis d'un point.

Fallait-il voir là un message caché? Une ancienne fiancée avait-elle fait le ménage de ses tiroirs pour en extraire ces fripes qu'elle lui aurait attribuées par erreur? Impossible d'apporter un semblant de réponse.

Ça ressemblait à un gag stupide.

Le paquet provenait de la ville d'à côté. Mais n'importe qui pouvait poster n'importe quoi depuis n'importe où.

Le train commençant à ralentir, Sébastien remit le contenu à l'intérieur de la boîte, rabattit le couvercle, puis se leva pour descendre le premier sur le quai. La journée s'annonçait pénible, il avait le dossier Minogue à disséquer avant ce soir et ce n'était pas le moment de faire le moindre faux pas avec M. Raymond qui l'avait pris en grippe.

La journée passa à toute allure. Sébastien travaillait de onze heures à vingt heures, incluant une interruption de quatorze à quinze heures pour manger. Cet horaire inhabituel lui avait été imposé à son embauche, car il n'avait pas d'enfants à nourrir ni à battre. Ça permettait de maintenir une plus longue présence des employés, certains commençant à cinq heures du matin.

Il avait machinalement déposé le colis sur son bureau et l'aurait oublié là si ses collègues n'étaient pas venus les uns après les autres lui demander ce que c'était.

— T'as reçu des chocolats de ta maman? ironisa le gros Bob.

— Les cassettes pornos russes ne sont pas acceptées dans l'enceinte de cet établissement, hurla Dan.

— Vous avez reçu une chemise en cadeau? minauda Ginette.

Celle-là, Sébastien n'avait jamais compris ce qui lui trottait dans la tête. Parfois, il avait l'impression qu'elle cherchait à le séduire et la seconde d'après, elle le foudroyait du regard pour une remarque banale. Les femmes demeuraient un mystère pour le jeune employé.

— Je peux ouvrir, c'est permis? demanda Georges, le roi des curieux.

À croire que tout le monde voulait l'empêcher de compléter à temps son examen de l'affaire Minogue. Il avait du mal à ordonner sa réflexion, perdant sans cesse le fil de cet imbroglio administratif. Les heures filaient et la pile de documents à éplucher ne diminuait pas vite.

Pour couronner le tout, M. Raymond décréta une pause générale à dix-huit heures quinze, afin de célébrer le début du congé de maternité de sa secrétaire. Sébastien dut se joindre aux autres dans la salle de réunion, même s'il détestait ce genre de réjouissance qui puait le léchage de bottes et le mousseux bas de gamme. Les convivialités stériles de la vie en entreprise l'assommaient.

Et puis, pot de départ obligatoire ou non, il devrait remettre un rapport impeccable en quittant à vingt heures. L'alcool ne l'aiderait pas à se concentrer sur les chiffres.

Il prit une coupe en plastique, y trempa ses lèvres, toussota pour éviter de rire à une blague du patron. C'est à ce moment-là que Ginette fit irruption dans la salle en brandissant la boîte. Elle beuglait. Elle avait dû s'envoyer plusieurs verres avant le début des agapes.

— Maintenant, la surprise de Sébastien !

Ginette ne pouvait pas déballer les vêtements pourris ici ! Il tenta de récupérer son bien, mais tous ces dégénérés scandaient déjà en chœur :

— La surprise ! La surprise !

L'horreur se produisit. Ginette exhiba un à un les vêtements du paquet, provoquant des cris de joie, des rires, des hurlements. Mais aussi des réactions contrariées et des moues inquiétantes chez certains.

Sébastien eut la honte de sa vie. Il avait l'air d'un misérable qui se fait expédier une garde-robe de seconde main, doublé d'un imbécile heureux qui l'apporte au bureau pour faire croire qu'il reçoit des effets dignes de ce nom. Au milieu des quolibets, il distingua cependant le regard noir de son chef, qui contrastait avec la liesse générale. Il le décoda comme une incitation à retourner à son labeur. Il quitta les lieux avant que ça ne tourne à l'hystérie collective ou que cette frappadingue de Ginette ne lui demande d'essayer ces fringues qui ne lui appartenaient même pas.

Il rejoignit son cubicule, essuya ses lunettes, mit ses écouteurs et se plongea dans les mille papiers

Minogue. Pourquoi ces insignifiants ne le laissaient-ils pas tranquille ? Lequel d'entre eux avait eu l'idée stupide de lui adresser ce paquet ? Les gens s'ennuyaient tant dans leur misérable existence qu'ils avaient besoin de persécuter leur voisin ?

Les bureaux se vidèrent peu à peu. L'équipe du soir se retrouva seule aux commandes du navire. Sébastien avait mis les bouchées doubles. À dix-neuf heures trente, il remplit le formulaire jaune d'évaluation et le joignit aux documents Minogue avec un gros élastique. Il ôta son casque, s'étira. Il allait enfin pouvoir retourner chez lui.

Le téléphone sonna.

— Sébastien, vous pouvez prendre toutes vos affaires avec vous. Vous êtes viré ! éructa M. Raymond au bout du fil.

— Mais, comment ça ? J'ai fini le dossier Minogue. Je ne suis pas arrivé en retard depuis une semaine. Je...

— Vous savez très bien pourquoi vous êtes viré. Vous avez voulu jouer au malin avec moi, mais vous avez perdu. Les coincés du cul dans votre genre, je les emmerde. Ouste !

Clic.

Quelle mouche l'avait piqué, ce con ? De quoi s'agissait-il ? Connaissant le personnage, Sébastien savait qu'il n'y aurait pas d'autre appel, pas de seconde chance. Licencié comme un malpropre, il devrait quitter les lieux sans demander son reste.

Il jeta un regard circulaire pour décider de ce qu'il emporterait. Pas grand-chose. Il avait toujours haï apporter des effets personnels au travail, genre la photo de son chien mort ou le soleil couchant de ses dernières vacances en banlieue nord.

Il fut surpris de découvrir l'emballage qui avait refait son apparition sur le bureau. Plongé dans son labeur, Sébastien ne s'en était même pas rendu compte. Il fut tenté de le jeter dans la poubelle, mais il décida de le prendre. Ses collègues le regardèrent glisser la boîte sous son bras, alors que la secrétaire finissait sa tournée de becs. Il enfila son manteau et partit sans saluer personne.

Dehors, il faisait frais. Il hâta le pas.

Il prit son trajet habituel, longeant les murs, coupant au plus court. Pour éviter le détour du petit pont, il utilisait le raccourci par le chemin qui traversait la voie ferrée un peu plus haut. À cette heure-ci, il était seul.

Arrivé près des sapins qui cachaient les rails aux occupants du groupe d'immeubles à loyers pas si modiques que ça, il perçut d'abord un cri étouffé, puis vit apparaître le gros Bob, qui lui barrait la route.

— Alors, face d'huître, tu joues au Père La Vertu ?

Derrière Sébastien, une autre voix lui fit écho.

— Je crois plutôt qu'il se prend pour le Robin des Lois.

Ça, c'était Dan.

— Ah ouais ? Ben moi, je déteste qu'on me fasse chier, enchaîna Georges qui venait à son tour de surgir, armé d'une batte de base-ball en aluminium.

— Mais… Mais de quoi vous parlez, les gars ?

— Enfoiré d'hypocrite !

Le poing droit de Bob s'écrasa sur le nez de Sébastien, faisant tomber ses lunettes au sol. Dan s'empressa de les piétiner. Ce coup de semonce fut suivi par une frappe terrible de l'arme sportive de Georges. Le nouveau chômeur s'effondra sur le sol.

Les trois hommes continuèrent à le massacrer avec méthode et précision.

Que lui reprochaient-ils?

Bob brandissait la chemise à manches courtes arrivée par la poste.

— Tu veux foutre mon couple en l'air avec tes conneries?

Dan lui fourra sous le nez les deux sous-vêtements gris:

— Tu voulais faire quoi avec mes slips? Te branler dedans?

Georges avait mis la casquette verte sur son crâne dégarni. Il écrasa la face de Sébastien avec son talon.

— Ma casquette que je cherchais partout, tu l'as récupérée comment? Hein? T'as perdu ta langue, le fouineur?

Entre les gnons, Sébastien essayait de comprendre. Chacun des gars semblait avoir retrouvé un élément de sa penderie dans l'expédition anonyme. Quelqu'un lui aurait donc envoyé les habits volés de ses collègues. Qui? Pourquoi? Difficile de raisonner quand les coups pleuvent avec tant d'acharnement.

— Maintenant, à nous de te piquer tes fringues. Tu voulais nous faire chanter, c'est toi qui vas couiner.

— Écoutez, j'y comprends rien. Le…

Paf! La batte atteignit son genou gauche.

— Ta gueule! À poil!

Sébastien se retrouva à quatre pattes, se déshabillant tant bien que mal. Bob lui présenta le tee-shirt avec le logo Champion.

— Tu saisis maintenant pourquoi M. Raymond t'a foutu à la porte? Pour récupérer ça, salopard.

— T'es vraiment de la même race que cette pute de Ginette, compléta Dan.

Quand il fut nu comme un ver, les gars redoublèrent de violence. Il perdit connaissance.

À son réveil, il faisait nuit. Il gisait au pied des sapins, les chairs en feu, la vision floue. Il resta immobile une longue minute, tentant de rassembler les pièces du puzzle. Une certitude s'imposait: Ginette s'était servie de lui pour se venger des gars qui la baisaient à droite et à gauche. C'est elle qui avait vidé le colis devant tout le personnel réuni. Cette folle devait être exaspérée qu'ils forniquent avec elle sans jamais l'inviter en week-end ni même au cinéma. Il se rappelait maintenant qu'elle lui avait dit que son frère travaillait à la poste. Bien joué.

Tout le monde savait qu'elle couchait, mais de là à lui en vouloir de n'avoir jamais manifesté le moindre désir à son égard! Il eut de la peine à se relever. Il grelottait.

Que faire? Où aller?

Il aurait pu sonner à la première maison, mais il craignit que ses occupants n'appellent la police. Il n'avait qu'à rentrer à pied en suivant la voie ferrée. S'il marchait avec discrétion, il pourrait passer inaperçu. Il progressa de quelques mètres en direction des traverses, lorsqu'il buta contre le paquet éventré qui traînait un peu plus loin.

Il le ramassa.

Bob avait récupéré sa chemise. Dan avait repris ses slips. Georges avait retrouvé sa casquette. M. Raymond allait remettre la main sur son tee-shirt. Il restait quelque chose.

Il fouilla dans la boîte et en sortit les chaussettes bariolées. Il les déplia et remarqua qu'elles étaient parsemées de petits cœurs rouges.

Sébastien posa ses fesses découvertes par terre et se couvrit les pieds. Ainsi vêtu, il entama son long périple de retour.

Si un cheminot le surprenait dans cette tenue d'Adam en socquettes, il n'aurait qu'à lui expliquer qu'il s'était retrouvé ainsi à cause d'une amante frustrée.

Ce qui n'était pas totalement faux.

Nu sous la lune, il se mit à siffloter.

Il n'alla pas loin. Une volée de pierres lancées dans son dos l'atteignit à l'arrière du crâne. L'une d'elles frappa violemment son occiput. Sébastien vacilla, puis s'affaissa tête première sur une traverse. Le choc fut fatal, il demeura inerte.

Deux ombres surgirent dans la noirceur, un couple de pouilleux affamés, sautillants et fiers de la précision de leurs tirs. Sans même s'inquiéter de ce corps qui ne bougeait plus, le plus jeune lui arracha ses chaussettes à motifs.

Ils s'éloignèrent aussitôt. Le voleur recouvrit ses mains de son larcin et s'en servit alors comme de marionnettes dont les yeux et la bouche auraient été des cœurs.

On entendit leurs rires se fondre dans la nuit.

Fils de haine

Papa me répétait toujours les mêmes phrases, avec son intonation sadique : « Il faut à l'humain de la rage, de la grosse haine méchante qui alimente sa flamme. Quelque chose d'irrationnel, mais puissant. Ça donne l'énergie de sortir de son lit. L'ignoble sert de carburant. » Son sentiment de répugnance se voulait hygiénique, appliqué, utilitaire.

Puis il ajoutait : « Toi aussi, un jour, il faudra que tu trouves l'objet de ta haine. Mais tu as encore le temps d'y penser. »

Je l'entendais susurrer sa théorie à Lucienne, son amante des soirs où il croyait que je dormais. Elle se contentait de soupirer, de rire, en attendant de passer aux choses sérieuses. Mon père avait besoin de préliminaires perfides.

Notre vie se déroulait ainsi sans que je comprenne tout. Mon enfance était heureuse jusqu'à ce jour – je devais avoir huit ans – où j'ai senti que notre quotidien se modifiait. Mon père a cessé de travailler. Il m'a acheté un vélo rouge flambant neuf et a rempli le congélateur de glace à la vanille. Il n'a donné aucune explication, mais ma bicyclette faisait fureur auprès des filles du quartier. Il rayonnait. Je l'entendais siffloter en jetant à la poubelle notre vieille vaisselle ébréchée. Nous mangions maintenant dans des assiettes IKEA aux couleurs bizarres.

La joie de papa a été de courte durée. Un mois, tout au plus. Très vite, il a sombré dans une profonde apathie. Il s'est mis à boire du whisky, en me gavant de croustilles au vinaigre. Ce n'était pas faute de moyens, car il se payait des ivresses millésimées.

Quand je revenais de l'école, il ronflait, puis émergeait péniblement lorsque j'allumais la télévision, qu'il éteignait aussitôt. Il me serinait son leitmotiv : « On vit pour détester les vieux cons. »

Je devinais confusément un lien entre son obsession haineuse et sa léthargie dépressive. J'ai mis plusieurs années pour recoller les morceaux de l'histoire de notre fortune familiale et de l'accablement paternel.

Son esprit ne s'extirpait que rarement des brumes alcoolisées de l'Écosse.

— Ce vieux con m'a eu jusqu'au trognon, postillonnait-il avant de remplir son verre à ras bord.

— Mais de qui parles-tu, p'pa ?

Il balayait ma question du revers de la main. J'étais trop vert pour comprendre.

J'attendais qu'il atteigne un degré plus avancé d'ivresse pour revenir à la charge.

— C'est qui le vieux con, p'pa ?

Il échappait alors des bribes d'explications incohérentes. Je prenais des notes, recoupant ses délires, jusqu'à réorganiser ses mémoires. J'ai patienté plusieurs années pour dresser une chronologie plausible des événements passés.

Le vieux con était son voisin depuis toujours. Ils s'ignoraient en public, mais s'espionnaient en privé.

Mon père avait décidé que cet individu mériterait toute sa haine. De manière partiale, mais tenace, il l'exécrait « parce que... ». C'était pratique, car il n'avait pas à se déplacer, juste à observer l'objet de son ressentiment à travers les rideaux, ou à l'écouter en collant son oreille contre la mince paroi du mur mitoyen. Son antipathie pour l'homme avait grossi, année après année. Elle façonnait la raison de vivre de papa. Elle confortait sa théorie aussi, car plus il focalisait sa hargne contre l'autre, plus nous étions heureux tous les deux.

Notre existence aurait dû aller en s'améliorant, si le vieux con n'avait décidé de ruiner ce bel édifice. Un matin, il a révélé à mon père qu'il était à la fois riche, malade et solitaire. Puis il lui a promis sa fortune sans demander aucune contrepartie. Les nantis se croient tout permis.

Mon père a tenu quelques jours, estomaqué, abasourdi, égaré. Cette soudaine fortune ne collait pas avec son obstination à détester le voisin. Mais il ne pouvait pas laisser passer sa chance. Il s'en serait voulu. Il a donc accepté le futur magot, et plutôt que d'attendre le trépas du vieux, pourtant diagnostiqué imminent, il a planté une longue lame de couteau dans son ventre flétri.

Au moins, papa gardait le contrôle. Encore une fois, le mal provenait de lui. Il espérait ainsi pouvoir haïr autant jusqu'à la nuit des temps, mais il en a été incapable.

Les premières semaines après le décès du vieillard, deux sergents détectives du SPVM ont tenté d'établir la culpabilité de mon père, mais aucune trace, ni preuve ni témoin, ne pouvaient l'incriminer. Papa réfutait le mobile et niait connaître l'existence du testament qui l'enrichissait. Rien ne prouvait le contraire. Il s'est même montré sceptique, prêt à refuser cet héritage inattendu si on s'acharnait sur son sort. L'enquête n'a pas abouti. Ils ont clos le dossier et un notaire a remis un chèque certifié à mon paternel (pas loin de un million de dollars canadiens).

Ensuite, papa a quitté son boulot et commencé à ruminer. Bien sûr, son aversion pour les policiers l'avait aidé à surmonter la situation déstabilisante créée par ce vieux con qui s'était pris pour Jésus. L'amour de son prochain n'avait aucune valeur à ses yeux. Il lui opposait son intime conviction concernant les vertus d'une haine bien exploitée.

Mon père a compris que le vieux con s'était servi de lui. Il l'avait manipulé comme on retourne une tortue pour la voir agiter ses pattes en l'air. Notre voisin souffrait d'un cancer colorectal, aussi douloureux qu'humiliant. Papa n'avait fait qu'abréger son supplice. Son pécule était bien mérité, mais la terrible compassion associée à son geste éclipsait dans son esprit la cruauté qui y avait toujours régné.

Le résultat, je le retrouvais chaque soir après mes cours : un père miséricordieux, lugubre et avachi. Le problème, c'est que la haine l'avait abandonné. Son dopant lui manquait. Papa périclitait faute d'animosité. Mon amour empirait la situation, je le sentais, mais je ne désirais pas devenir l'objet de sa malveillance. Lucienne a cessé de le visiter, et j'ai espéré un temps qu'il se mette à la détester, mais sa libido s'était embourbée dans les vapeurs d'orge malté. Je me sentais triste pour lui et pour moi. L'avenir s'obscurcissait.

J'ai décidé de remédier à la situation. Puisque haine il fallait à notre bonheur, haine il y aurait.

J'ai dressé une liste de cibles potentielles : le dépanneur chinois, ma professeure de littérature, la mère de ma copine Jeanne, la guichetière sadique du métro Rosemont, le présentateur de la météo, la voisine trop sexy pour être honnête, le porc qui faisait pisser son chien sur mon vélo chaque matin.

Ensuite, j'ai biffé les postulants.

Se mettre à dos le gars du dépanneur nous forcerait à marcher deux cents mètres de plus pour acheter du lait.

Ma prof aurait probablement craqué nerveusement avant la fin du mois.

Je n'avais aucun intérêt à me fâcher avec la mère de Jeanne.

La femme de la STM pouvait se réfugier derrière un syndicat puissant et rigide qui la soutiendrait contre vents et marées.

Papa ne regardait déjà plus Météo Média qu'un soir sur trois.

La voisine valait la peine qu'on s'attarde davantage à ses défauts. Elle pourrait même plaire à mon père.

Le maître du teckel allait découvrir les vertus du poivre de Cayenne.

Je me rendais compte qu'il fallait créer un mouvement haineux aussi soudain que virulent. Nous n'avions plus le temps de laisser mûrir un venin mortel, comme à l'époque du vieux con. Je devais déclencher un courant brusque, hargneux et salvateur.

Les cadavres de Glenlivet, Glenfiddish et Knockando s'entassaient le long des murs de notre logement. L'odeur tenace des *single malt* s'associait désormais en permanence à notre malheur.

L'appartement du voisin était occupé par un jeune couple avec enfant, aussi bienséant qu'insipide. Pas de quoi déchaîner les foudres de mon géniteur.

Alors quoi ?

Nous n'avions même pas de problème d'argent pour nous défouler contre créanciers, huissiers et usuriers.

J'ai décidé de jouer la carte du surnaturel. Les neurones du cerveau de papa devaient être suffisamment endommagés pour que je puisse y introduire un mort-vivant. J'ai donc ressuscité le vieux con sous la forme d'une brève lettre où il reprochait à son légataire le mauvais usage qu'il faisait de son héritage inopiné.

— Qu'il aille au diable, a grogné mon père.

Cette réaction m'a encouragé. J'ai récidivé avec une missive où je désapprouvais pêle-mêle son alcoolisme suicidaire, son absence aux réunions de parents d'élèves et la saleté de l'évier.

— Mais de quoi se mêle-t-il ? a éructé mon père.

Il a alors reposé sa bouteille qu'il tenait par le goulot pour aller vérifier l'état de propreté du bac en inox dans la cuisine. Cinq minutes plus tard, il balançait le contenu de l'évier par la fenêtre.

— Ça te dirait une bonne crème glacée à la vanille ? m'a-t-il lancé.

La rage l'avait métamorphosé. J'en suis resté bouche bée, puis j'ai hoché la tête. Le coup du revenant marchait comme sur des roulettes.

Rapidement, j'ai peaufiné ma tactique. J'allais persévérer dans cette voie, mais je devais garder des munitions en réserve. La détestation une fois réveillée exigerait qu'on l'alimente pour perdurer, s'épanouir, exploser.

Je me suis fixé un rythme hebdomadaire pour mes envois fielleux. Je postais l'enveloppe timbrée le vendredi et la lettre arrivait le mardi suivant. Papa l'ouvrait lentement, la déchiffrait vite, la chiffonnait et hurlait aussitôt. Plus tard, il la défroissait et la relisait jusqu'à l'apprendre par cœur. Ça l'occupait pendant sept jours.

Après un mois de ce régime, papa tournait en rond dans le salon chaque deuxième jour de la semaine, guettant l'arrivée du facteur. Impatient d'en découdre avec son correspondant décédé.

Sa haine m'impressionnait. Je n'imaginais pas qu'elle puisse grossir autant. Jusqu'où irait-elle ?

Une chose était sûre : le coq se remplumait et notre atmosphère redevenait respirable. Il a même rencontré ma professeure de littérature pour discuter de mon cas. J'ai cru comprendre qu'ils avaient surtout disserté sur les vertus comparées de la misogynie, de la misanthropie et de la misogamie.

La haine de mon père s'est épanouie, superbe, constructive et féroce. Il ricanait en empilant les lettres dans le tiroir de la commode, sans m'expliquer ce qu'elles contenaient. J'étais ravi pour nous.

Jusqu'à ce mardi fatidique où le préposé de Postes Canada a glissé l'enveloppe un soir à dix-sept heures seize. Papa, qui se rongeait les ongles depuis le matin, a bondi sur le trottoir pour plaquer le fonctionnaire en short sur le ciment.

— Tu sais quelle heure il est, Bozo ? Qu'est-ce que tu foutais jusque-là, gros paresseux ? La sieste ?

— Ggggg.

— Vous apprenez pas le respect au ministère ?

Papa lui a labouré les côtes de coups de pied.

Le type en uniforme bleu a porté plainte. Il a refusé de livrer le courrier à notre porte, comparant mon père à un chien enragé (ce en quoi il n'avait pas tort). Ses collègues et supérieurs ont approuvé. Notre boîte aux lettres était désormais boycottée. Nous devions nous présenter au bureau de poste pour récupérer notre correspondance.

Papa fulminait. Sa fureur a décuplé.

Je savais que j'avais perdu le contrôle de sa haine. J'étais indécis sur la meilleure conduite à suivre : savourer le moment présent ou chercher à éviter le pire ? Je me sentais dépassé.

Mon père déversait son fiel antipostiers dans des forums de discussion où on l'a vite repéré et interdit. Il surveillait l'heure des tournées des employés des postes et les notait dans un cahier ligné.

— Ces maudits incompétents ne passent jamais au même moment. Je vais leur inculquer la ponctualité, moi.

J'ignorais ce qu'il mijotait, mais j'avais mes examens de fin d'année à préparer. Après tout, la paix était revenue dans notre maison et mon père tenait la grande forme. Je n'avais plus à rédiger ma lettre hebdomadaire. Il ne parlait même plus du vieux con, évacué de ses souvenirs.

Sa hargne a enflé à vue d'œil. Il m'observait souvent et m'effrayait. C'est à cette époque que j'ai envisagé de vivre en appartement avec ma blonde. Je lui en ai parlé.

Début juillet, il a surgi dans ma chambre en brandissant deux billets de vingt.

— Allez donc au cinéma avec Jeanne et mangez une bonne crème glacée à la vanille. C'est ma tournée.

J'aurais dû me méfier. L'animosité de sa voix avait franchi un cap. Je le connaissais si bien...

En revenant de la projection, j'ai repéré de loin les gyrophares dans notre rue. Ça clignotait en rouge et bleu. La fumée créait un halo esthétique, diffusant la lumière. Un ruban plastique jaune condamnait le passage jusqu'à notre maison. J'ai dû présenter mes papiers au policier pour prouver que j'habitais là.

À l'intérieur, il ne restait que des planchers noirs, des meubles calcinés et des bouteilles de whisky explosées – un sacré accélérant, d'après l'experte en sinistres.

L'alerte avait été donnée par le jeune couple de voisins. Ils avaient entendu des cris rageurs, des coups sourds, puis le silence. La boucane s'était vite infiltrée par le mur mitoyen si mince.

Les pompiers ont découvert deux macchabées carbonisés qu'un dentiste a identifiés grâce à leurs couronnes : papa et le facteur avec notre couteau de cuisine dans le corps.

Que s'était-il vraiment passé ? Pourquoi mon paternel avait-il voulu reproduire le meurtre du vieux con ? Allez savoir. C'est ainsi que l'on crée des rituels.

La haine avait dû le consumer.

Je me suis retrouvé orphelin. J'ai enterré papa à côté de la tombe du vieux con généreux, histoire de les laisser tous deux en mauvaise compagnie pour l'éternité.

Notre notaire m'a convoqué, car papa avait rédigé son testament une semaine plus tôt. J'avais senti qu'il tramait quelque chose, mais il m'aimait tant qu'il avait songé à ma sécurité financière. Je me suis présenté à l'étude, comme on va accomplir une formalité. J'étais jeune et riche.

Ma fortune n'était qu'un mirage.

En guise d'héritage, mon père m'expliquait que je ne m'en sortirais jamais en restant aussi sage. Il avait décidé de sacrifier son magot pour me sauver.

Il léguait tout son argent à une association venant en aide aux orphelins de Postes Canada.

J'ai alors senti un souffle morbide me labourer les entrailles. La haine m'avait gagné à sa noble cause.

Mon père n'avait été qu'un vieux con toute sa vie. J'allais employer le restant de mes jours à pourrir sa mémoire.

Refaire sa vie

La femme devait avoir dans la jeune quarantaine, les cheveux courts, des bottes d'armée et un sac d'ordinateur dont le poids la forçait à se pencher à quarante-cinq degrés en avant. Elle ne vit pas le type derrière le pilier en ciment dans le stationnement souterrain. Il était presque vingt-trois heures, elle était fatiguée, elle voulait juste rentrer chez elle au plus vite.

— Bonsoir, madame Palatino.

Elle sursauta. D'où sortait cet homme qui semblait la connaître ?

— Euh, bonsoir...

— On ne s'est jamais vus avant, mais croyez-moi, on va faire connaissance.

Les bouches noires du canon double d'un fusil surgirent de sous son vieil imperméable en nylon beige.

— Suivez-moi. Je ne vous ferai pas de mal, mais n'essayez pas de fuir. Je m'appelle Christian, précisa-t-il.

Comme si connaître son prénom pouvait la rassurer. Il fallait que ça tombe sur elle : un déviant qui l'enlève juste après son cours du lundi soir. Elle se mit à trembler comme une feuille, alors qu'il la poussait de la pointe de son arme en direction d'une abominable Ford Focus rouge sangria. Il lui ouvrit la porte côté conducteur et la menaça tout le temps qu'il contournait l'avant du véhicule.

Trente-cinq minutes plus tard, après un trajet silencieux, il lui indiqua l'allée de garage devant un bungalow au nord de Laval.

Le quartier était paisible et personne ne les vit entrer dans la maisonnette.

— Que voulez-vous, Christian? Me violer? Alors, faites ça vite et laissez-moi repartir tranquille.

Il secoua la tête négativement, vexé, et la poussa vers la chambre, où un homme était ligoté et bâillonné sur le lit. Il devait avoir cinquante ans, les cheveux rares et grisonnants, des souliers en cuir noir, une chemise blanche maintenant fripée et un jean Diesel.

Christian attacha les chevilles de la nouvelle venue avec des menottes, puis fit les présentations :

— Madame Palatino, professeure de design graphique, voici M. Mercier, professeur de design industriel.

Il libéra la bouche du prof qui se mit à l'invectiver :

— Qu'est-ce que vous voulez? Relâchez-nous immédiatement! Vous vous êtes mis dans une méchante merde, croyez-moi.

— Je le sais.

Christian s'assit sur une chaise bancale et les considéra, l'air abattu.

— Vous êtes ma dernière chance. Vous êtes les seuls qui pouvez m'aider.

La femme écarquilla les yeux. Mais que leur voulait ce débile? Allait-il chercher à l'accoupler avec le professeur mâle? Ce dernier était plutôt bel homme pour son âge.

Christian reprit d'une voix monocorde :

— Ma femme m'a quitté la semaine dernière. Ça faisait des mois qu'elle me répétait que je n'avais pas d'allure.

— Qu'est-ce que j'ai à voir là-dedans? marmonna Mercier. Je ne la connais pas, votre femme.

— J'ai décidé de refaire ma vie.

L'expression de Christian devait être prise au premier degré.

Les deux universitaires détaillèrent Christian : une coupe de cheveux issue d'un souvenir lointain de John Travolta dans *Grease*. Une chemise jaunasse avec un col à piquer des gaufrettes, un pantalon bourgogne à la coupe indéfinissable et des souliers en daim vert pâle aux coutures apparentes. L'ensemble ne s'apparentait à rien en particulier. Certains se créent une dégaine en mélangeant les genres et les époques, mais on sent que c'est voulu. Dans le cas de Christian, ça relevait du n'importe quoi, de l'improvisation.

Un coup d'œil à la décoration de la chambre ne faisait que confirmer ce que sa femme lui reprochait. Un tapis à pois mauves avec un jeté de lit doré, ça peut gâcher une nuit de noces. La pauvre.

— Je veux tout refaire : ma garde-robe, mon attitude, mes habitudes... J'ai besoin de vous pour re-designer ma vie. Mon existence est trop horrible. Je suis nul. Vous devez me guider, ordonna Christian.

Ce disant, il rétablit l'équilibre du fusil de chasse qui menaçait de glisser de ses genoux.

— Mais, on n'est pas des modélistes, ni des conseillers en look. On est des professeurs d'université en...

— Vous êtes professeur en design, monsieur Mercier. Parmi les meilleurs spécialistes à Montréal, il paraît. C'est pour ça que je vous ai sélectionné sur le site Internet de votre école. Le design, c'est l'esthétique des choses.

— Pas seulement ça, s'enflamma le quinquagénaire ligoté. Dans mon champ d'études, le design industriel, par exemple, on s'intéresse autant au style qu'à l'usage. La forme et la fonction sont indissociables.

Christian sourit tristement.

— C'est justement mon problème. Ma vie est désorganisée, mal foutue et laide. Je dois la repenser de A à Z, l'embellir...

Un court silence suivit cet aveu. Mme Palatino baissa la tête, découragée. Cet homme avait perdu la raison. Ils ne sortiraient pas facilement de cette galère.

— Écoutez, je suis professeure de design graphique. J'apprends à mes étudiants à concevoir et réaliser des affiches, des couvertures de livres, des sites Web, des logos... Je leur enseigne les règles typographiques. Même avec la meilleure volonté du monde, je ne vois pas comment je pourrais vous tirer d'embarras, Christian.

— Si! Vous pouvez! Regardez.

Il se leva et fit glisser la porte du placard. Il saisit ensuite les vêtements suspendus et les balança l'un après l'autre sur le tapis aux taches mauves.

— Ma femme trouve ça laid, mais je n'arrive pas à comprendre pourquoi. Quand sait-on que c'est beau? Expliquez-moi comment choisir. Madame Palatino, parlez-moi des couleurs qui s'harmonisent, des formes qui m'avantageraient, des erreurs à éviter, des insultes au bon goût que vous sanctionnez dans les exercices de vos étudiants.

— Mais ça va prendre des mois avant d'arriver à un résultat.

— Alors, ne perdons pas de temps : commencez tout de suite, répondit Christian.

— Vous n'y arriverez jamais, lâcha Mercier en contemplant la masse de fringues hideuses en tas sur le sol.

Christian marqua un temps d'arrêt, ouvrit ses lèvres, les referma, puis bondit sur Mercier et se mit à l'étrangler. La haine lui sortait par tous les pores de la peau. Une véritable bête furieuse. Palatino urina dans sa culotte de soie noire.

— Pourquoi n'en serais-je pas capable, moi ? Parce que le design est réservé à ceux qui ont de l'argent ? Aux bourgeois dans votre genre ?

Mercier perdit connaissance. Christian alla chercher une serviette mouillée qu'il lui colla sur le front, puis lui asséna une série de petites claques qui le réveillèrent.

— Allez-y doucement, Christian. Il ne voulait pas dire du mal. Il ne parlait pas de vous en particulier, s'interposa Mme Palatino. C'est un travers de professeur : on repère vite les élèves qui ont le plus de potentiel.

— Mon cul, oui, se contenta de répondre son ravisseur. Il me prend pour un con.

Le spécialiste industriel reprit peu à peu ses esprits. La professeure s'assit à son côté pour s'assurer qu'il allait bien.

— Bon, fini les enfantillages. Allons à l'essentiel.

Sans lâcher son fusil, Christian écarta les deux bras à l'horizontale.

— Qu'est-ce qui cloche le plus chez moi ?

Les deux profs se consultèrent du regard : le cas devant eux représentait un pur suicide vestimentaire. On ne peut pas transformer un aveugle en Rembrandt. Quant à son maintien...

Ils rirent nerveusement, ce qui le blessa à mort. Il se livrait à eux et voilà qu'ils se foutaient ouvertement de sa gueule. Il appuya le canon du flingue contre les narines de Mercier.

— C'est pas drôle. Compris ?

Le professeur hocha la tête.

— Je vous écoute. Si vous enseignez le design à des jeunes de dix-neuf ans, je devrais être capable de comprendre.

Palatino se racla la gorge, planta ses yeux dans ceux du handicapé du goût et se lança :

— Prenons par exemple votre fusil de chasse. Il est ordinaire, mal entretenu et grossier. On ne lit pas la marque. Sa forme a été dessinée par un sous-doué de la ligne. Alors qu'il y a tellement d'armes racées et efficaces, pourquoi avoir choisi cette horreur ?

— C'est le fusil de mon père. J'ai pris ce que j'avais sous la main, voilà tout.

— Première erreur. Il faut réfléchir, ne pas céder à la facilité, allier l'esthétique à l'usage. Le design graphique est un art appliqué.

— Je n'y connais rien en armes.

— Deuxième erreur. Vous auriez dû consulter des dizaines de catalogues de fabricants de fusils et de carabines, au lieu de vous précipiter sur le premier *shotgun* venu. Moi non plus, je n'y connais pas grand-chose, mais je suis certaine qu'il existe beaucoup de livres sur le sujet à la Grande Bibliothèque. Et puis, on ne sait jamais où un zeste d'enrichissement personnel peut vous mener. Si vous aviez pris la peine de creuser, vous auriez pu découvrir des renseignements sur l'histoire des fusils, les manufacturiers, les coutumes de leur pays d'origine, l'architecture des villes où ils sont fabriqués... Ça ne vous aurait rien coûté d'effectuer cette recherche et vous auriez évité cette impardonnable faute de fadeur.

— Ça demande beaucoup de documentation, s'inquiéta Christian. Si chaque fois que je dois acheter des bobettes ou un paquet de sucre, je dois reconstituer la généalogie des ouvriers et les influences graphiques des pays limitrophes, je ne suis pas sorti du bois. Je n'ai pas envie de refaire ma vie dans vingt ans.

— Nous non plus, remarqua Mercier en reprenant du poil de la bête.

Christian le foudroya du regard, mais déjà Palatino enchaînait :

— Autre chose : comment pouvez-vous rouler dans une voiture sangria ?

— C'était la moins chère dans LesPAC.

— Troisième erreur. L'argent ne doit pas être le seul guide de votre sélection.

— Facile à dire, soupira Christian.

Le trio était prêt à céder au découragement. D'évidence, Christian ne changerait pas du jour au lendemain. Il aurait mieux fait de chercher sur Internet une fille inculte, ou une prostituée.

— Vous n'avez pas faim ? demanda l'homme sans goût. La nuit risque d'être longue...

Il se leva sans attendre de réponse, ferma la porte de la chambre à clé et les abandonna ainsi. Il se pointa un quart d'heure plus tard avec un plateau chargé de deux assiettes fumantes.

— Le souper des professeurs est servi, s'écria-t-il avec une bonne humeur feinte.

— C'est quoi ? s'inquiéta Palatino.

— Patates pilées, sauce brune, croquettes de poulet. On fait ça à la bonne franquette.

Mercier grimaça.

— Non merci, je suis allergique au congelé.

Christian releva le fusil dans sa direction.

— Moi, je suis végétarienne, renchérit Palatino.

La figure de Christian se décomposa.

— Vous commencez à me faire chier avec vos leçons de pédantisme. Je vous ai demandé de m'aider, pas de jouer aux snobs. Ce n'est pourtant pas si compliqué.

— Laissez tomber, Christian, vous êtes hors concours, railla Mercier.

Christian blêmit et, sans ajouter un mot, il appuya sur la détente de son arme moche. La giclée de plombs explosa la face du prof, propulsant des morceaux d'os et de chair sur les murs recouverts d'un papier peint à rayures roses et vertes.

— C'est-tu assez graphique pour vous, ça ?

Christian toisa la survivante, impassible. Il observa son propre visage constellé d'hémoglobine, dans le miroir accroché derrière la porte. La détonation avait déclenché un processus irréversible. Pour la première fois dans sa minable existence, il avait de l'allure avec son arme brandie et ses traits décomposés. Sa prestance *destroy* devenait convaincante.

Il ressemblait enfin à quelqu'un.

— Alors ma belle, comment trouves-tu ma nouvelle face d'assassin ?

Palatino se mit à hurler de manière hystérique.

Le contenu de la seconde cartouche l'atteignit à bout portant, transformant son joli minois en un sombre magma gluant.

Christian replaça une mèche poisseuse et ricana à l'adresse de son reflet. Il lécha une goutte de sang sur sa joue et attaqua la purée en sifflotant. Sa vie venait enfin de changer de perspective.

Les deux professeurs de design avaient vraiment fait du bon boulot.

Végé-pâté

Les végétariens m'avaient toujours fait hurler de rire. C'était quoi leur problème à ces illuminés ? Ils pensaient sauver la planète en mastiquant des pousses de bambou bouillies et du maïs sans OGM ?

L'animal en eux avait renié ses origines et je trouvais ça désolant. Leur ineptie hypocrite menaçait notre espèce. Ils osaient prétendre agir par pitié pour les agneaux qu'on égorgeait et les poulets qu'on électrocutait en série. Ils refusaient la bonne viande que le bon Dieu avait mise sur terre. Des balivernes de citadins survitaminés, quant à moi.

Un jour, j'ai rencontré une mangeuse de navets, impératrice autoproclamée de la salade de légumineuses. La fille avait le teint vert, les joues creuses et l'œil morne. J'ai fait semblant de m'intéresser à ses yeux marron. En fait, j'étais curieux de savoir si elle était aussi sincère qu'elle le prétendait. Je voulais en avoir le cœur net. J'avais envie de confronter sa rhétorique macrobiotique.

Je l'ai gentiment draguée un soir chez des amis communs. Son tofu mariné d'un côté et ma côtelette de porc de l'autre, nous avons fait connaissance en échangeant des propos anodins. Quelques cocktails aux canneberges plus tard, nous roulions ensemble sur le tapis en laine recyclée de son quatre et demie près du marché Atwater.

Pour une ruminante, elle s'en tirait avec les honneurs au lit. Au matin, j'ai commencé à lui envoyer quelques blagues afin de tester ses convictions.

— Pourquoi ne manges-tu pas des œufs, d'abord? ai-je attaqué gentiment.

— C'est de la torture aviaire.

— Pas si les poules courent en liberté, ai-je répliqué du tac au tac.

— On peut vivre sans œufs, c'est prouvé.

— Tout ça, c'est de l'obstination sans fondement. Tu suis une mode.

Elle a ravalé sa salive, puis elle a recouvert nerveusement ses lèvres de baume du Pérou. Les filles timides font ça en prétextant avoir la bouche gercée. La fréquence d'apparition de son bâton hypoallergénique augmentant sensiblement, j'ai compris que je venais de taper dans le mille.

— Moi, je suis une mode? a-t-elle lâché sur un ton défaillant.

J'avais touché un point sensible. Les adorateurs des végétaux se recrutent souvent chez les anarchistes mondains. Évidemment que j'avais raison. Cette truffe allait virer de bord d'ici peu. J'ai enfoncé le clou:

— Boire du lait de vache, c'est excellent pour la santé.

— Le lait de soya aussi, a-t-elle rétorqué sur un ton acide.

— Sans protéines animales, ton corps souffre de graves carences. Il s'épuise.

— Est-ce que j'ai l'air fatiguée? a-t-elle répondu.

— Franchement, oui.

La drôlesse a éclaté de rire. Elle résistait mieux que prévu. Puis elle a marqué une pause avant de me relancer avec sensualité :

— Tu sais, il m'arrive de faire des exceptions et d'avaler des protéines d'origine animale.

Son allusion sexuelle m'a soufflé. Je ne m'y attendais tellement pas que je me suis contenté de sourire. J'ai exhibé toutes mes belles dents fortes faites pour la mastication carnassière.

Elle en a lâchement profité pour m'expédier un coup sec du tranchant de la main, au niveau de la tempe. J'ai vacillé.

Il fallait que je me reprenne. Depuis quand les croqueuses de radis se permettaient-elles de lever la main sur les dévoreurs d'aloyau ? Il me semble que la logique animale place les prédateurs au sommet de la pyramide. Les lions rugissants pourchassent les graciles gazelles, pas l'inverse.

J'en étais là de mon raisonnement lorsque j'ai vu ses pieds décoller du plancher comme par enchantement. Sa jambe droite s'est brusquement détendue et j'ai reçu un violent coup de talon dans les narines. Ça a craqué. Je me suis écroulé.

La végétaliste venait de se transformer en Miss Karaté version Tarantino. Elle s'est déchaînée contre moi, sans un mot, se contentant de ponctuer ses frappes par des interjections à sonorité nippone. Elle m'a encore asséné quelques gnons, histoire de m'achever.

J'ai fini K.-O.

J'ignore combien de temps a duré ma perte de connaissance. Tout ce dont je me souviens c'est de la douleur effroyable qui m'a arraché à mon coma. Je me suis réveillé en poussant un hurlement de chien écrasé. La souffrance dépassait mille fois le seuil du tolérable.

Où étais-je ?

J'ai tenté de remuer, mais un câble électrique me maintenait les bras et les jambes en croix sur une paillasse. J'étais nu au milieu d'un hangar, quelque part.

Je l'ai enfin distinguée à travers le brouillard de larmes qui troublait ma vue. La diablesse brandissait un couteau de chasse d'une main et mes couilles de l'autre.

Elle m'a toisé, puis a léché le sang qui dégoulinait sur la lame.

— Alors, le carnivore, bien reposé ?

Je ne pouvais rien répondre. Je demeurais pétrifié, stupéfait. Et cette douleur à mon entrejambe avait tué mes capacités d'élocution.

La sorcière des fibres a continué sur le même ton désinvolte, genre di Stasio possédée.

— Avec de l'ail, c'est épatant pour mon régime alimentaire, a-t-elle lancé.

Elle observait de près mes bijoux de famille, comme si elle admirait des truffes roses.

— Quand tu m'as abordée hier soir, j'ai tout de suite deviné que tu étais doté de minuscules testicules. Tu as une tête à ça.

Je croyais avoir séduit une pure et dure du végétalisme, pas du féminisme. Elle a dû lire dans mon esprit, car elle m'a lancé à la blague :

— L'humain n'est pas un animal comme les autres. Alors, j'y ai droit.

Elle demeurait calme, me toisant avec une haine froide. De quoi cette brouteuse de pissenlits se vengeait-elle de façon si extrême? Je n'avais pourtant pas porté atteinte à son intégrité physique. Moi qui voulais la remettre dans le droit chemin de l'alimentation omnivore, j'avais gagné.

— Plus les gars ont de petites bourses, meilleures elles sont, a-t-elle précisé.

Cette amoureuse de la tomate italienne se doublait d'une adoratrice des abats fins. Qui aurait pu le prévoir? Elle a mastiqué un morceau de ma chair intime, puis a fini sa bouchée avant de conclure son délire gastronomico-déviant:

— Je mets aussi du persil plat. Ça donne du relief au goût.

Ensemble pour mieux servir

Pendant les trois premières années passées au Service de police de la Ville de Montréal, Lyne Lefebvre n'avait jamais connu d'incident majeur. Bien sûr, la chance pouvait en partie expliquer ce bilan, mais c'est surtout l'attitude de la jeune agente qui contribuait à prévenir les problèmes.

Lyne Lefebvre ne cherchait pas le pouvoir que lui conféraient son uniforme et son arme de service. Un goût sincère pour la justice et l'équité la guidait. Elle travaillait pour le bien de sa collectivité.

Il fallait bien qu'elle craque un jour.

Lorsqu'on la jumela avec Luc Baranger, Lefebvre décida de profiter au maximum de l'expérience de l'agent senior. Mais Luc ne s'exprimait que sur un seul sujet : les Canadiens. Son club préféré passait avant tout et, en ce mois d'avril 2008, la première ronde des séries éliminatoires contre les Bruins occupait l'intégralité de son esprit. Le coéquipier de Lyne demeurait imperméable au monde qui n'évoluait pas sur une patinoire. Quand quelqu'un évoquait Steven Guilbeault ou Denis Coderre, il s'étonnait de ne pas connaître les statistiques de ces deux joueurs québécois.

Les radios et les quotidiens ne parlaient que de la fièvre des séries. Cette frénésie devenait ostentatoire : les chandails avec le logo tricolore se vendaient comme des petits pains chauds. Les pools de hockey se multipliaient. Le matraquage Molson s'intensifiait. Les extinctions de voix se comptaient par centaines. Très symptomatique aussi, la présence des drapeaux qu'on fixait à la portière de sa voiture. Même Luc s'y était mis. Ce jeudi 19 avril, il finissait d'installer le petit support en plastique blanc sur l'auto-patrouille, lorsque Lyne se pointa pour leur ronde. Elle se figa.

Lefebvre fit la leçon à Baranger. Elle lui expliqua que ce fanion était inadmissible, que la police devait demeurer neutre, sans trace d'esprit partisan.

Luc s'opposa. Pour lui, les Canadiens avaient besoin du soutien de toute la ville, ce qui incluait bien sûr sa police.

Le ton monta. L'une avançait des arguments moraux. L'autre soutenait que son initiative allait améliorer leur image.

— Ça nous rapproche de la population...

Cette dernière réplique souffla Lyne. Elle s'installa à contrecœur à la droite de cet abruti de Luc, et il démarra en sifflotant, visiblement d'excellente humeur.

— Koivu est de retour. On va les planter ! pronostiqua-t-il.

Le Tricolore disputait à Boston son sixième match contre les Bruins. Même si, en principe, leur victoire semblait inéluctable, la résistance de leurs adversaires avait surpris les supporteurs de la sainte-flanelle. Après un bon départ, les hommes de Guy Carbonneau avaient encaissé deux défaites. On en était à trois victoires à deux et le match de la soirée devait servir de conclusion à ce dérapage.

Luc conduisait très calmement. À plusieurs reprises, des piétons saluèrent la présence du drapeau qui claquait au vent, avec des «Go Habs Go!» retentissants et virils. Le policier leur répondait par trois coups de klaxon en cadence. Lyne rentrait chaque fois un peu plus la tête dans les épaules, la rage au ventre.

La première période s'avéra intense. Luc s'informait du score auprès des fumeurs qui sortaient en trombe sur le trottoir au moment des pauses publicitaires. Les mines sombres parlaient d'elles-mêmes : les Bruins dominaient.

Dans la voiture, la bonne humeur de Baranger s'effaça peu à peu.

— Attends-moi deux secondes, je dois voir ça de plus près.

Luc s'était arrêté en face de la Taverne Normand, avenue du Mont-Royal. Le flic eut du mal à pénétrer dans l'établissement bondé. Il plongea au milieu des spectateurs agglutinés devant les écrans géants.

Lyne rongeait son frein en se concentrant sur la radio. Tant que le match n'était pas terminé, rien ne bougerait en ville. C'est ensuite que ça risquait de se gâter.

Cinq minutes plus tard, Luc reprit sa place derrière le volant. À l'évidence, la dernière heure des Bruins n'avait pas encore sonné. Il marmonna contre Brisebois.

«Il a bu!» conclut sa coéquipière en reniflant son haleine.

Ils tournèrent encore, jusqu'à ce qu'ils aperçoivent un attroupement devant un autre bar. Une quinzaine de gars gesticulaient autour d'un type cloué à terre. Ils reconnurent aussitôt le chandail noir, jaune et blanc du club de Boston. L'individu se protégeait tant bien que mal des coups de pied de ses agresseurs. Lyne voulut sortir, mais Luc la retint d'une main ferme.

— On ne peut pas les laisser le massacrer! s'écria-t-elle.

— Pourquoi?

Lyne imaginait déjà le lynchage du taré au visage recouvert des couleurs ennemies, lorsqu'elle se rappela soudain leur fanion. N'importe qui pouvait les filmer avec son cellulaire, le logo des Canadiens flottant sur l'auto-patrouille. Ce genre de vidéo sur YouTube réduirait à néant le maigre capital de sympathie accumulé par la police montréalaise.

— Ils vont le tuer, insista Lyne.

Luc se décida enfin et ils foncèrent vers le groupe dont le cercle s'ouvrit à leur arrivée. Le jeune homme se releva en chancelant, groggy, de la mousse d'hémoglobine plein les narines. Baranger le soutint jusqu'à leur véhicule. Sous les huées des supporteurs, ils l'installèrent sur la banquette arrière et quittèrent aussitôt les lieux.

Lyne se dit que tous ses discours sur la véritable mission de la police avaient fini par porter leurs fruits. Le sportif de comptoir qui complétait son binôme se comportait finalement comme un humain. Elle qui l'avait d'emblée catalogué dans la sous-catégorie des épais chroniques...

Mais l'agent Lefebvre n'eut pas le temps de pousser plus loin sa réflexion. Le fan des Bruins frappait violemment sur le grillage qui les séparait. Il gueulait qu'il voulait voir la fin du match!

Luc refusa de parlementer avec ce mongol même pas anglophone. Il avait fait son devoir, mais il n'allait quand même pas le raccompagner chez lui pour qu'il puisse regarder la télévision.

— Qu'est-ce que tu faisais là avec ton chandail des Bruins ? demanda la policière sans se retourner.

— J'ai toujours trippé sur Raymond Bourque. C'est un crime ?

Lyne l'observa alors à la dérobée, comme si elle venait d'entendre une phrase familière. Ses traits se durcirent, mais elle ne répondit rien. Pas plus que Baranger. Ils continuèrent de rouler tranquillement, jusqu'à une autre taverne. Les clients sortaient, visiblement anéantis. Luc voulut connaître le score.

— Cinq-quatre, cracha un costaud aux yeux injectés de sang.

— Ils ont marqué à trois minutes de la fin, précisa son voisin, frustré à mort.

Inutile de demander qui avait rentré la rondelle. Luc pâlit. Au lieu de remporter la série, les Habs se retrouvaient à égalité : trois matchs à trois. Il faudrait attendre le septième et dernier pour déterminer le vainqueur.

Le type à l'arrière se mit à hurler de joie :

— ON A GAGNÉ ! ON A GAGNÉ ! ...

Baranger glissa un regard entendu à Lefebvre, l'air de dire : « Tu vois comment on est remerciés de jouer aux gentils flics... » L'imbécile heureux gueulait sans discontinuer. Luc planta ses ongles dans le volant et commença à l'ovaliser.

— Je vais le tuer, grinça-t-il.

— Ta gueule ! lança alors Lyne en direction du type maquillé.

Le gars se tut brusquement, comme par enchantement. Il dévisagea Lefebvre.

— Eh, on se connaît pas tous les deux ?

Lyne serra les dents. L'autre enchaîna, soudain dégrisé.

— T'es pas Lili ? Mais oui, c'est ça ! T'es Lili la louve. Où t'as encore caché tes menottes, ma belle Lili ?

— TA GUEULE !

— Grrr ! ma petite louve sort ses griffes. Grrr !...

Luc écarquilla les yeux. Sa coéquipière ne lui laissa pas le temps de la niaiser sur sa sexualité débridée. Elle bondit hors de la voiture et alla ouvrir la portière arrière.

— Ben quoi, Lil...

Elle agrippa brutalement le passager et l'éjecta sur le trottoir, au milieu des partisans dépités. L'apparition soudaine de cette tache noir, jaune et blanc les survolta. Le type tituba, tentant de pousser un ultime cri de victoire. Il ne se rendit pas compte qu'à cet instant précis, il ressemblait à un steak qu'on venait de lancer à une harde de hyènes affamées. Ce fut la curée.

La louve Lefebvre fusilla le drapeau tricolore du regard et reprit sa place à côté de son collègue goguenard.

Il ne faut jamais mélanger service public et vie privée.

Ouf uoℲ

— Je ne suis pas fou, monsieur le détective. Je sais très bien ce que je fais. Je vous répète que, du samedi 2 au lundi 4 septembre, je campais au Sandbanks Provincial Park, au bord du lac Ontario. À plus de trois cent cinquante kilomètres du lieu du crime. Comment voulez-vous que j'assassine une gamine obsédée par son image à cette distance? Vous me voyez faire l'aller-retour en pleine nuit jusqu'à Montréal? En plus, j'ai une mauvaise vision nocturne, à cause de mon métabolisme qui fixe mal la vitamine D. De toute manière, j'ai des témoins.

Toi, le détective de mes deux, tu ne vas pas me faire cracher le morceau si facilement. Mon alibi est en béton armé. Le coup de la distance, c'est imparable.

— J'étais à l'emplacement 213. À ma gauche, il y avait une famille hyper bruyante de Polonais: la mère et le père picolaient du matin au soir et leurs quatre fils se battaient à coups de raquette de badminton. De l'autre côté, un couple en voyage de noces a baisé sans discontinuer. Vous l'auriez entendue jouir, la jeune mariée, une vraie hyène.

Je vais te noyer dans les détails inutiles, gros malin.
Je suis calme. J'ai la conscience tranquille.

— Moi, je m'égare ? Pas du tout, monsieur le détective ! Je vous explique que je ne pouvais pas assassiner la foldingue narcissique, alors que je dévorais tranquillement un bouquin, allongé sur mon matelas gonflable. Malgré le raffut des alcoolos à bâbord et des baiseurs à tribord, j'ai réussi à relire *Les aventures d'Alice au pays des merveilles*. Je ne me souvenais pas à quel point ce bouquin est hallucinant.

C'est vrai que l'idée du miroir traversé est prodigieuse.
Lewis Carroll était un génie. Pas étonnant qu'il ait été
mathématicien.

— Quoi encore ? La petite s'est fait scalper par le maniaque qui l'a tuée ? C'est dégueulasse ce que vous me racontez là, monsieur le détective. C'est l'œuvre d'un désaxé brutal. Tout le contraire de moi : je suis un doux, rangé, en contrôle de mon quotidien.

Le scalp, je n'avais pas prévu le faire, mais j'ai eu un
instant d'égarement. Elle nous avait tellement poussés
à bout avec ses cheveux dorés, que je ne pouvais pas la
laisser ainsi. J'ai pris un bout du miroir et j'ai coupé à
l'aveuglette.

— La mère de la fille m'a reconnu ? Voyons, c'est impossible.

On était tous les deux en train de devenir fous à cause
de sa fille plantée jour et nuit devant son miroir, à se
coiffer sans fin. Si au moins elle avait été jolie. Je me
considère dans mon droit. C'était une sorte de légitime
défense, après tout.

— Vous me cherchez, là, monsieur le détective. Je suis revenu d'Ontario le lundi 4 septembre, en après-midi. Je suis arrivé chez moi vers dix-huit heures. Il y avait du trafic sur la 720, mais c'est normal pour la fête du Travail, hein !

Alors, sergent, convaincu ? T'attends quoi pour me relâcher ? Il y a des gangs de rue qui rackettent des vieilles pendant qu'on discute.

— Votre affaire, là, le meurtre ou l'assassinat, je n'ai jamais compris la différence… enfin passons, vous me dites que ça s'est produit vers une heure du matin, le dimanche. Je dormais, moi. Je roupillais. La nuit était fraîche, je me suis roulé dans mon sac de couchage, j'ai commencé mon roman, puis j'ai dû m'écrouler dessus vers vingt et une heures. C'est ce que j'aime en camping ; on vit avec le soleil. Couché tôt, levé tôt.

Eh ! eh ! eh ! Tellement levé tôt que j'étais debout à vingt et une heures cinq.

— Quoi ? La mère de la fille affirme que j'ai surgi vers une heure, les yeux rouges comme si j'avais pris de la drogue ? Je me serais précipité sur l'enfant et je lui aurais fracassé le crâne dans le miroir où elle se regardait ?

Je n'en pouvais plus de l'imaginer devant sa vanité, à chantonner, à brosser ses mèches encore et encore. Ça me rendait furieux. C'était elle ou moi.

— Je ronflais, je vous dis. Les deux oreilles sur mon oreiller gonflé. Pour une fois que les amoureux et les Polonais en faisaient autant, je peux vous certifier que j'en ai profité... Quoi ? Ben oui, ils dormaient. Normal, la nuit, non ?... Ah, je vous vois venir : ils ne peuvent pas témoigner dans ce cas-là. Vous cherchez la petite bête, vous.

Personne ne m'a vu partir ni revenir, j'en suis certain. T'as rien contre moi, sergent. Juste le témoignage bancal d'une femme fragile, à bout de nerfs. Pauvre Kenny, je t'ai vraiment aimée, au début.

— C'est mathématique : il faut au moins quatre heures trente pour parcourir le trajet du camping à Montréal... Calculez : je serais donc parti au plus tard à vingt heures trente, alors que je me suis couché à cette heure-là. Ça, mes voisins l'ont vu. On s'est même salués. Je n'ai pas compris ce que m'a gueulé le Polack. Il était soûl mort, ce cochon.

Je ne suis pas sûr qu'il m'ait vu, mais bon, je dois rester sur mes positions.

— Maintenant, c'est son témoignage qui ne vaut rien à cause de la boisson. Vous jouez à quel jeu, là ? Et la mère, vous l'avez testée ? C'est sûr qu'avec une enfant handicapée, on a la santé fragile et on pète les plombs pour un oui ou pour un non. C'est humain. Moi, je vous dis que c'est elle la coupable. Elle n'a pas tenu le coup. Elle a zigouillé sa fille. Ce sont des choses qui arrivent. Voilà tout. Le dossier est clos. Bonjour, bonsoir.

Tu commences à m'énerver, le zélé. Toi aussi, t'as envie de te réveiller avec un éclat de miroir dans l'œil ?

— Du nouveau ? Vous avez enfin retrouvé les jeunes mariés ? La fille s'est levée vers trois heures pour pisser. Elle n'a rien vu ? On s'en fout, alors... Elle a entendu un ronflement dans ma tente ? Bon ! C'était moi, pas mon double, c'est certain. Ni mon jumeau, vu que je n'en ai pas. Je vous l'avais dit que je dormais comme une bûche.

T'as jamais entendu parler des iPod, gros malin ? Des heures de musique sans interruption. Mon ronflement durait dix heures. Largement de quoi faire l'aller-retour.

— Bon alors, cette fois, vous me croyez ? Au revoir, monsieur le détective.

Ouf !

Bon chien

Je suis son amour, son joujou, son toutou. Elle m'embrasse et me flatte. Elle m'excite. Elle s'émoustille. Elle est sexy. Je suis fier qu'elle soit ma maîtresse. J'adore frôler ses mollets glabres, où aucun poil n'a survécu au quadruple traitement laser.

Aujourd'hui, nous allons nous promener au parc. Le soleil chauffe l'herbe des pelouses. Ça sent si bon. Elle veut me lâcher, mais deux jeunes femmes surgissent à cet instant. Elles suivent leurs enfants qui jouent en liberté. Les garnements trottinent vers moi avec leurs petites mains tendues, leurs bouches baveuses, leurs yeux ébahis. Les mamans s'égosillent pour alerter leurs marmots. Une mère de famille a tous les droits ; même celui de m'empêcher de courir comme je veux.

Ma belle m'entraîne ailleurs. Sa voix haut perchée me parvient :

— Viens mon Kiki, on va jusqu'au lac.

Elle me connaît par cœur. J'adore l'eau. Je m'y baigne, m'y apaise, m'y défoule. Personne ne trouve à y redire, car au milieu de cette grande flaque, je n'effraie que les canards. Quand je me sèche ensuite sur la rive, je ne ferais pas de mal à une mouche. Encore moins à un jeune garçon.

Pourquoi les gens sont-ils si méchants avec moi ? Certains me montrent du doigt. Quoi ? Ma face les répugne ? Ou alors, il s'agit d'un prétexte pour mieux la lorgner. Elle a tout ce qu'il faut pour attirer l'attention et elle ne s'en prive pas. À nous deux, nous formons un couple sensationnel. Ma présence excite les hommes. Une femme si séduisante, avec un être si déplaisant. Ils devraient se regarder : gras des cuisses et mous du bide. J'ai envie de leur grogner des saloperies. Juste pour les calmer.

— Viens mon Kiki, on rentre.

C'est la partie que je déteste le plus. On n'est pas bien dehors ? Je me rebiffe. Elle ignore mon comportement rétif. Mme a eu sa dose de regards concupiscents.

Nous retournons chez elle. Chez nous, devrais-je dire, mais il y a son ami qui habite là depuis dix mois. Il ne m'apprécie guère. Je le lui rends bien.

— Arto, c'est nous ! s'époumone-t-elle, sitôt le seuil franchi.

Arto est un beau mâle finlandais. Il écrit, sous un pseudonyme féminin à consonance anglaise, des romans d'amour pour une collection très populaire. La frustration d'Arto s'aggrave chaque jour, car il se considère comme un grand auteur méconnu. Il n'affectionne personne, surtout pas moi.

Ma maîtresse adore Arto. Son accent d'Europe du Nord la bouleverse. Ce gars-là fait ce qu'il veut d'elle. Il ne semble pourtant pas y mettre une extrême ardeur, mais il suffit qu'il lui effleure les seins pour que sa libido chavire. Moi, j'observe, impassible. Je trouve qu'elle abuse.

Les gens pensent que les animaux sont indifférents aux accouplements humains. Cependant, quand, eux, ils aperçoivent un étalon grimpé sur une jument, ils ne peuvent s'empêcher de se rincer l'œil. Nous, c'est pareil. La seule différence, c'est que nous nous abstenons de formuler des commentaires stupides.

Nous voici dans l'appartement. J'effectue un léger détour afin de vérifier si quelqu'un aurait rempli ma gamelle de viande fraîche. Le miracle n'a jamais lieu. Je dois me contenter d'eau tiède. Le souper de croquettes fadasses sera servi à dix-neuf heures.

Je la rejoins. Elle se frotte contre Arto qui essaie de travailler. Il a mauvaise mine. Mettez-vous à sa place : il doit récrire chaque semaine la même histoire à l'eau de rose, en respectant les règles du genre. Page 12, l'homme embrasse la femme. Page 25, ils couchent ensemble. Page 57, il la trompe. Page 128, il revient et elle lui pardonne.

Je m'allonge sous le bureau. J'observe. Je ne suis même pas fatigué. J'aurais pu courir encore quatre heures sans m'arrêter. Disons que je suis plutôt vaillant et robuste. Très loin du paresseux, en termes de généalogie. À des kilomètres de là.

Ça y est, elle se lance.

Sa main descend, l'air de rien. Elle s'égare en dessous de la ceinture et atteint rapidement sa cible. Il serre les cuisses. Je l'entends qui maugrée. Il a du boulot en retard, pas le temps pour la bagatelle.

Elle susurre des mots sucrés, lui entrebâille la braguette.

— C'est bon pour ton inspiration, Arto. Il faut que tu vives ce que tu écris. Les lectrices adorent sentir que l'auteur maîtrise son sujet.

Pas besoin d'ouvrir les yeux pour suivre la progression des opérations. Arto n'est qu'un lâche. Après avoir fait mine de résister, il collabore. On ne l'entend plus rechigner, mais plutôt lâcher de courts *oooohmmm* de plus en plus rapprochés. Va-t-il raconter ça dans son prochain chapitre ?

« Elle était trop inexpérimentée pour dissimuler l'envie qu'elle avait de lui, et King était trop homme pour ne pas comprendre. Sa main se crispa sur la poignée de la porte. Comme en rêve, elle entendit claquer le pêne, et, soudain, il fut devant elle, et elle dans ses bras. Il prit sa bouche presque durement. Candy ferma les yeux, savourant la chaleur sensuelle de son baiser. King relâcha une seconde son étreinte et fit oooohmmm[1]. »

Je me sens inutile et vain. À quoi je sers dans cette histoire ? Je ne vais pas passer ma vie à attendre la prochaine promenade. Ma maîtresse s'en moque. Elle m'abandonne à la première occasion pour s'activer avec son bellâtre ronchon. Je ne suis qu'un bouche-trou, en définitive. Un faire-valoir. À cet instant, elle m'a totalement oublié.

Les *oooohmmm* s'enchaînent à un tel rythme qu'ils deviennent continus : *oooohmmmoooohmmmoooohmmm*. Arto va bientôt décoller.

Elle ne pense plus à moi. À son gentil toutou pure race qu'elle a dégoté aux États-Unis. Le sang d'un animal de combat coule dans mes veines. Elle me voulait ainsi pour prouver au monde qu'elle est une battante. Une femme d'action. Je suis son reflet sur quatre pattes. Je suis soumis, mais j'ai du potentiel pour la bagarre à dents nues.

---

1 DIANA PALMER, *Mon ennemi de toujours*, Collection Duo,
Série Romance, Éditions Harlequin, 1984.

144

Ma maîtresse devient chatte et ma frustration explose. Elle nous exploite tous les deux, Arto et moi, de la même manière. Elle a besoin d'un homme viril dans son lit et d'un animal dissuasif sans muselière pour se sentir femelle. L'érection d'Arto n'est que la preuve de son pouvoir à elle. Mes babines baveuses servent de contrepoids à ses lèvres lippues.

Elle roucoule maintenant des âneries sans nom. Arto va jouir. Elle aussi.

Je me dégage de sous la table et je bondis, mâchoires ouvertes. Je l'atteins à la gorge. Mes crocs se plantent dans la chair tendre et dénudée. Sa bouche demeure béate de surprise. De douleur.

Son corps bascule en arrière. Mes griffes lui labourent le ventre, arrachant sa robe en taffetas saumon. Le liquide rouge qui jaillit de sa carotide gicle sur le pantalon de l'écrivaillon. La violence de mon attaque produit son effet : il éjacule.

Mon instinct de tueur a guidé mes gestes. Elle n'en a plus pour longtemps, mais je dois compléter mon œuvre. Je mords violemment dans son nez refait et l'extirpe aisément. Je m'acharne encore sur sa bouche siliconée, son front botoxé. Puis je passe à sa poitrine. Je croque dans les mamelons. Les seins perdent aussitôt leur volume artificiel.

La voici redevenue elle-même : amas de viande informe. Et moi aussi, je me retrouve. Mes gènes de tueur remontent à l'Antiquité. Mes ancêtres de type molossoïde s'affrontaient dans les arènes romaines. Mes aïeux bouledogues combattaient des taureaux ou des ours. De sélections en croisements, quelques cupides éleveurs ont créé la perfection : moi, fier représentant de l'*American Pit Bull Terrier*. Je suis né pour tuer, pas pour parader.

Arto me caresse machinalement le dos.

— Bon chien !

J'ai toujours détesté qu'on m'appelle Kiki.

Malheur tout neuf

À Benoît et Mimi

Le *Chaleur* progresse lentement, suivant la côte, traversant les prés jaunis, les villages aux toits rouges ou bleus. Le conducteur de la locomotive diesel connaît l'itinéraire par cœur. Depuis vingt ans qu'il effectue le trajet, presque rien n'a changé dans ce bout du monde. La Gaspésie ne vieillit plus, ses rides sont éternelles. Le train longe une ferme ancestrale, puis le motel de L'Anse-McInnis. Sur la gauche, la plage est déserte, la mer calme. La voie ferrée remonte en dévers, oblique vers la droite, jusqu'à ce trou béant dans la montagne. Le tunnel du Cap de l'Enfer est le seul ouvrage de ce type au Québec: cent quatre-vingt-treize mètres creusés à main d'homme dans le marbre rose.

Un coup de sirène avant de plonger dans la noirceur. La sortie reste invisible, la courbe empêchant de la distinguer. À mi-chemin, les deux ouvertures disparaissent complètement. Les phares percent cette obscurité humide, illuminant les deux rails comme les traces d'un skieur toujours en avance sur le convoi.

— C'est quoi ce truc ?

Juste au centre, une forme barre le chemin. Un animal égaré, probablement. C'est plus gros qu'un chien. Le conducteur actionne les freins en catastrophe, mais la force de l'inertie pousse au cul. Les tonnes de ferraille ont besoin d'une bonne distance pour s'immobiliser, même à si faible vitesse. Le train ralentit, les voyageurs ont dû basculer vers l'avant, mais la découverte de l'obstacle s'est produite trop tard. Un second coup de sifflet d'alarme emplit le tunnel. Les roues s'approchent, crissent. Des étincelles giclent en direction du corps d'un homme, face contre le ballast. Les bogies pressent l'acier sur l'acier, broyant les chairs. Le conducteur hurle dans sa cabine, impuissant.

Quand les wagons sont enfin arrêtés, l'employé de VIA Rail saisit une lampe, se précipite vers l'arrière. Le cadavre n'est plus qu'un amas de vêtements et de sang. La vision est atroce. Le cheminot vomit son dégoût contre la paroi. Vingt années de service pour en arriver là.

— Tabarnak ! lâche-t-il en frappant la roche.

Nous sommes samedi. Il est dix-sept heures vingt. L'arrivée en gare de Port-Daniel à un kilomètre du lieu du drame se fera attendre.

Dépêché sur place, un sergent détective de la Sûreté du Québec répondant au nom de Pabos ordonne de ne pas déplacer le train. Les passagers sont donc invités à descendre et à marcher jusqu'à l'entrée est de la trouée, où un autobus viendra les chercher et les transportera à Matapédia pour monter dans l'*Océan* en provenance de Halifax. Un adolescent s'éloigne du groupe et photographie la dépouille avec son téléphone. L'image de l'horreur s'affichera bientôt aux quatre coins de la planète numérique.

Près d'une traverse, un policier trouve un grand permis de conduire rose épargné par la tragédie. La victime est un Français qui se nomme Vincent Blancart. Il résidait à Créteil, chef-lieu du département du Val-de-Marne, dans la banlieue sud de Paris.

— Qu'est-ce qu'il faisait dans le tunnel du Cap de l'Enfer, l'écrabouillé ?

Le détective ne répond pas à un fermier qui lui pose la question. Il n'a aucune idée de ce qui s'est passé. Suicide, meurtre, accident ? L'état du corps interdit une autopsie digne de ce nom. L'étranger était-il déjà décédé avant de se faire écrabouiller ?

La nouvelle a fait le tour du village. Les voitures se garent le long du cap, les curieux affluent. Un homme dans la trentaine, avec barbiche et lunettes, s'approche, salue.

— Benoît Pilon. Je suis le propriétaire du gîte Bleu sur Mer, sur la 132. M. Blancart est arrivé jeudi chez nous. Ses bagages sont encore là.

Pendant que deux flics en uniforme tentent de maintenir les habitants à distance, le sergent emboîte le pas à celui qui vient de se présenter. Il y a peut-être une lettre à découvrir, une piste, une confession.

Le gîte est une imposante bâtisse victorienne en excellent état. On l'appelle la maison Enright. Les deux hommes grimpent un lourd escalier de bois et arrivent dans une chambre avec vue sur l'horizon. Le décor est raffiné, chaleureux, moderne. On oublierait presque qu'on se trouve dans un village de pêcheurs.

— C'était sa première fois chez vous ?

— Oui. Il avait réservé par courriel.

— Il avait l'air inquiet?

— À son arrivée il était épuisé. Il a atterri à Dorval le mercredi et son voyage en train ne s'est pas bien passé. Il dormait debout. Il a fait une sieste, puis il est allé prendre une marche et on a soupé ensemble. Il avait acheté une bouteille de vin à la SAQ, mais ça n'a pas suffi… Un sacré buveur. Il est parti vers onze heures et on ne l'a pas revu. Il n'a pas dormi ici cette nuit.

Sur la table de chevet du visiteur, un roman de Gabrielle Roy: *Bonheur d'occasion.* Le volume publié aux éditions Flammarion est ancien, mais en parfait état.

— Gabrielle Roy a rédigé son manuscrit à Port-Daniel, explique Benoît. Elle louait une chambre sur la pointe. L'air du coin l'inspirait, paraît-il.

Le flic ouvre la valise posée sur le plancher de bois sombre. Son contenu est à moitié composé de livres de l'écrivaine ou d'études de son œuvre. Le mort était un passionné de la romancière.

— Je ne savais pas que Gabrielle Roy était aussi connue à l'étranger, murmure Pabos.

— Vous avez lu quoi d'elle? demande innocemment Benoît.

— Moi? Rien. Pas le temps, ajoute le flic pour se justifier.

— Elle a quand même eu le prix Fémina en 1947.

Pabos interroge encore le barbichu. Blancart a-t-il posé des questions en arrivant? A-t-il téléphoné devant eux? Est-il sorti avec un sac?

— Il voulait aller jeter un coup d'œil à la maison où Gabrielle Roy passait ses étés. Je lui ai indiqué le chemin. C'est pas loin d'ici. Tenez, voici comment elle la décrivait. C'est un texte que j'envoie à tous ceux qui viennent en train.

Le flic accepte la feuille imprimée que Benoît lui tend.

— Vous êtes originaires du coin ?

— Non, nous sommes montréalais. On a eu un coup de cœur pour la maison en 2000. Nous sommes ici depuis six ans. On a tout refait les…

L'inspecteur coupe la parole au bavard. Il passera plus tard récupérer la valise de Blancart.

— En attendant, ne touchez à rien.

Cinq minutes après, Pabos s'arrête devant une habitation toute neuve qui ne correspond pas à l'âge qu'elle devrait avoir. Il déplie le papier et lit le passage concernant l'arrivée de Gabrielle Roy en train :

« J'aperçus quelques hautes falaises, de plats nids de cormorans au sommet des arbres, puis une belle ferme apparut entre montagne et mer, à niveaux multiples. Une grande et accueillante maison blanche, avec des fenêtres qui regardaient la mer, me passa sous le nez. Je n'avais pas besoin d'en voir plus. Je savais que j'étais arrivée à destination… Je me trouvais seule dans la poussière au bord des rails. Une automobile arriva. Un jeune homme en descendit qui me demanda si j'étais la personne attendue à l'hôtel Grand. Je lui demandai le prix de la pension à cet hôtel par curiosité.

« — Douze dollars la semaine.

« Je lui dis que c'était beaucoup trop cher pour mes moyens et lui demandai si à la belle maison blanche à la pointe ouest là-bas, que l'on distinguait bien encore à cette distance, à mi-chemin entre la baie et les plus hautes collines, on ne prenait pas par hasard des pensionnaires.

« — Je crois que oui, dit-il. C'est là chez Bertha et Irving McKenzie. Mais je vous avertis, le vieil Irving est toujours

à la pêche et si vous allez là vous ne mangerez guère que du poisson.

« Il consentit à me conduire chez Bertha et Irving pour un dollar[2]. »

Ça ne colle pas avec ce que Pabos voit. La maison date des années 1990, pas 1940.

Le détective admire un instant le panorama sur la baie, puis il va frapper à la porte. Un homme se présente, l'accent chantant.

— Je suis bien chez les McKenzie ?

— Ah non, ils nous ont vendu la propriété, ça fait longtemps.

— Mais c'est bien ici que Gabrielle Roy a écrit *Bonheur d'occasion* ?

Le type se tait, soudain renfrogné.

— Qu'est-ce que ça peut faire où elle a écrit son bouquin ?

Pabos exhibe son insigne.

— Il s'agit d'une enquête suite à une mort violente. Alors ?

— Alors oui et non.

Le nouveau propriétaire raconte que la maison tombait en ruine. Il a décidé de la brûler pour en construire une autre, plus salubre et mieux isolée.

— Ici, quand ça souffle en hiver, vous avez intérêt à regarder dans l'autre direction si vous ne voulez pas voir vos yeux finir en glaçons.

Il a appelé la mairie et proposé un exercice de feu comme entraînement aux pompiers. Tout le monde a trouvé que c'était une bonne idée et la vieille baraque

---

2 GABRIELLE ROY, *Le temps qui m'a manqué*,
   Collection « Cahiers Gabrielle Roy », Boréal, 1997.

a pu laisser place à la nouvelle : celle où ils vivent présentement.

— Personne ne vous a dit que vous ne pouviez pas faire ça ?

— Non. C'est chez nous, je fais ce que je veux chez nous. Si je veux incendier chez nous, personne ne peut m'en empêcher.

Le policier n'insiste pas. Il demande si un Français est passé la veille. L'homme acquiesce.

— Je lui ai raconté la même chose qu'à vous. Il a commencé à s'énerver, alors je l'ai sacré dehors.

— Vous avez vu où il s'est dirigé ensuite ?

L'homme fait un vague geste vers le village, puis rentre chez lui.

Fin de l'entrevue.

Port-Daniel s'étire le long de la 132. La route descend abruptement par une longue ligne droite, puis rejoint une portion de plat, appelée Le Banc, au bord du barachois, et remonte enfin à flanc de montagne. À droite de la route, la voie de chemin de fer, puis la plage où Jacques Cartier fit ses premiers pas en Amérique, le 4 juillet 1534.

Au centre, une station-service/dépanneur/SAQ/vidéo. Pabos interroge la caissière qui lui apprend que Blancart a acheté là des cigarettes, une bouteille de cognac et *Le Journal de Québec*.

Le tunnel se trouvant plus loin à l'est, il suffit de s'y diriger pour suivre les traces du touriste. À mi-chemin, le sergent détective pénètre dans le restaurant installé en face du pont qui enjambe le petit port désert. La saison de la pêche aux homards n'a pas encore commencé.

Une serveuse dans la quarantaine évite son regard.

— Vous désirez ?

— Un café et un renseignement.

— Je vais chercher le patron.

— C'est à vous que je parle.

La femme râle. On n'aime pas trop la police, dans le coin.

— Avez-vous déjà vu cet homme?

Pabos a sorti le permis de Blancart. La serveuse regarde à peine la photographie en noir et blanc.

— Il est venu hier soir. On a jasé. Il cherchait à rencontrer un pêcheur qui aurait eu un bateau appelé *La Marie-Louise*. Il se trouve qu'il s'agit de mon père. Ma mère se nommait Marie-Louise Langlois. Quand je lui ai dit ça, il s'est mis à bégayer, à transpirer, à rougir. Il perdait tous ses moyens, comme si la Vierge Marie venait de lui apparaître.

La serveuse explique que le Français avait déjà énormément bu, mais qu'il a continué de plus belle. Il a voulu aller chez elle lorsqu'il a su qu'elle possédait une photo de l'époque, avec Gabrielle Roy, dans un beau cadre en bois. La nuit est tombée. Blancart a soupé, puis ils sont repartis ensemble en longeant la voie ferrée.

— C'était un bel homme, faut admettre. Je me suis dit que ça me changerait.

Le flic ne relève pas. Comme tant d'autres fois, il se pourrait que l'histoire s'achève par un aveu de meurtre. Pour quel motif? Tentative de viol?

— J'habite L'Anse-McInnis. On est partis à pied, car mon auto était au garage. Il essayait de m'embrasser. Pour rire, je lui ai proposé de passer par le tunnel. C'est un raccourci et ça me rappelait quand j'étais gamine. On se cachait là jusqu'à ce que le train nous frôle.

— Et finalement?

— Rien. On est arrivés chez moi, je lui ai décroché le cadre et le temps que j'aille chercher deux bières au frigo, il dormait à poings fermés. Pas étonnant avec tout ce qu'il avait descendu. Bref, je l'ai laissé cuver et quand je suis repartie ce matin, il ronflait encore. Je suis venue travailler. J'ai appris tantôt qu'un Français avait été écrasé dans le tunnel. Je suis retournée chez moi, il m'avait écrit un mot pour me remercier.

— Et la photo ?

— Il l'avait prise, le salaud ! Et avec le cadre. Bon, il faut que je serve, moi. Vous pouvez vérifier ce que je dis avec mon boss : je ne suis pas une menteuse. Encore moins une tueuse. Il a dû tomber et s'assommer en revenant ce matin. Ça se peut. C'est glissant avec l'humidité.

Pabos note son nom et ses coordonnées, puis la laisse travailler. Cette fille semble sincère. Pourquoi aurait-elle refroidi le Français ? Parce qu'il ne l'a pas baisée ? Un peu faible comme mobile.

Un hurlement de sirène déchire l'espace alors que le train surgit sur le pont, faisant trembler la charpente métallique. Le sergent détective allume son téléphone cellulaire et appelle les gars qui sont sortis du tunnel.

— Avez-vous trouvé un cadre sur la voie ?

Réponse négative.

Tout le monde observe le convoi. La perception a changé. La locomotive est désormais associée à une image de mort brutale. Son sifflet est celui d'une tueuse. La nuit qui tombe renforce le malaise. Pabos est sorti devant l'auberge. Les six wagons vides doivent retourner à Montréal pour le départ à la Gare Centrale, dimanche soir.

À part le personnel, aucun voyageur n'a été autorisé à demeurer à bord. Pabos fouille dans ses poches, trouve la carte professionnelle de Bleu sur Mer, appelle.

— Dites, votre client français devait repartir quand?

— Aujourd'hui. Il ne venait que trois jours, pour son pèlerinage Gabrielle Roy. Après, il voulait se rendre à Petite-Rivière-Saint-François, puis à Rawdon. Euh… Il y a du neuf?

L'inspecteur court jusqu'à sa voiture, démarre en trombe. Pied au plancher, il fonce sur la 132. Il distingue la fin du convoi à sa gauche, il arrive à son niveau, le double peu à peu, coupe la voie, vire à droite, roule jusqu'au stationnement de la gare et arrête son véhicule en travers des rails, phares allumés.

Pabos fait signe au chef de gare de rester à l'intérieur. La locomotive siffle encore, mais le conducteur voit loin en ligne droite. Il freine. La locomotive ralentit, le flic saute sur le balcon du wagon de queue et ouvre la porte. Il jaillit dans l'allée, fouillant chaque toilette, chaque compartiment, chaque soute à bagages.

Dans la voiture arrière, il soulève une couverture dans une couchette du bas. Un homme se recroqueville là, grelottant de peur. Il serre un cadre contre lui.

— Blancart? Police!

Le Français soupire, s'extirpe de sa cachette. Il sent l'alcool et le vomi. Il marche de travers.

Pabos emmène le fugitif dans la salle d'attente. Les mains jointes par des menottes, celui-ci n'oppose aucune résistance.

— Que s'est-il passé dans le tunnel?

— Oh, je me suis réveillé chez une serveuse. Il faisait jour. Il était tard. Je suis parti avec la photo. Je

156

voulais m'arrêter au restaurant pour lui proposer de l'acheter. Regardez comme elle resplendit.

Sur le cliché, Gabrielle Roy est adossée au mât d'un bateau de pêche. Elle porte un long manteau fermé par la boucle ronde d'une ceinture, des pantalons larges, un béret. Elle sourit.

— J'ai pris le raccourci du tunnel, j'avais mal au crâne. À mi-parcours, j'ai entendu des pas, une voix. Un gars m'a rattrapé et m'a sauté dessus en gueulant. Je n'ai pas tout compris à cause de son accent. Il me traitait de voleur. J'ai cru qu'il parlait du cadre, mais il avait plutôt l'air de m'accuser d'avoir couché avec la femme. On s'est battus, il m'a arraché la poche avec mes papiers, ce con. Il a glissé, s'est cogné la tête sur un rail. J'ai voulu le relever, mais il saignait. Il devait être mort. J'ai paniqué. C'est là que j'ai entendu la sirène. Je… Je me suis plaqué contre la paroi. Voilà. C'est tout. La loco l'a écrasé et après, un policier a crié qu'il avait trouvé mon permis près du corps. Je n'ai pas bougé et puis j'ai grimpé dans le train pendant que tout le monde en descendait.

— Je crains que votre séjour en Gaspésie dure plus longtemps que prévu, conclut Pabos.

Blancart serre le cadre contre lui.

— Avec elle, je serai bien n'importe où. On n'a pas souvent l'occasion d'avoir autant de bonheur.

Il se tait un court instant, puis ajoute :

— Ça doit être ça que Gabrielle Roy appelait la détresse et l'enchantement.

Temps mort

Je passe ma vie à courir. Après un client, après un rendez-vous, après l'argent, après l'amour, aussi. Je n'ai jamais une seconde à perdre. Je cavale. Et voilà que soudain, un mardi matin, je me retrouve avec une heure complète devant moi. Tout ça, à cause d'un fournisseur qui s'est décommandé sans prendre la peine de s'excuser.

Me voici attablé au café qui fait le coin entre l'avenue du Mont-Royal et la rue Rivard, sur le Plateau.

L'expresso goûte quelconque. La musique est criarde. Les clients semblent fatigués. La climatisation a rendu l'âme. J'attends quoi, là ?

Rien, pour une fois. C'est rare d'avoir du temps à gaspiller. Ça ne m'était pas arrivé depuis mon séjour dans les Forces canadiennes. Qu'est-ce que j'ai pu passer d'heures à ruminer mon ennui, à me languir d'une bonne guerre civile, à espérer un conflit armé contre les Chinois ou les Grecs ! Peine perdue. À l'époque, le Canada était un pays pacifique, gentil et neutre. J'ai appris l'électronique, j'ai fini mes cinq années de service et je suis revenu à la vie civile pour m'occuper. Maintenant, je travaille pour une compagnie d'installation de systèmes d'alarme. La business roule vite, par les temps qui courent. L'insécurité galopante n'est pas un fléau pour tout le monde.

Déjà quatre minutes se sont écoulées.

Ils font quoi exactement, les deux gars sur le trottoir?

Pourquoi regardent-ils dans tous les sens? Ils sortent de chez le même chiropraticien qui les a guéris d'un torticolis?

Tiens, ils entrent dans la caisse Desjardins en face. Je suis curieux de savoir pourquoi ils portent des manteaux en plein été. J'ai envie d'aller jeter un coup d'œil à ce qu'ils manigancent. Des fois qu'ils auraient une mauvaise idée en tête. Après tout, je m'ennuie et mon café est tiédasse.

L'air est chaud et humide. Les piétons marchent à l'ombre. Sans attendre le feu, je traverse l'avenue à mes risques et périls, entre un vélo kamikaze, un taxi zigzagant et un autobus bondé.

La double série de portes automatiques s'ouvre à mon arrivée et je pénètre tranquillement dans la salle des guichets automatiques. Tout paraît si calme. Il n'y a personne ici.

Une affiche publicitaire me dissimule l'intérieur de la succursale. Je m'avance jusqu'au comptoir d'accueil et à peine ai-je tordu le cou pour localiser mes gars en manteau qu'un violent choc dans le dos m'expédie au sol. Ouch!

— Tu bouges, t'es mort! me souffle une voix rauque.

Je demeure calme. J'étudie la situation du mieux que je peux.

Le gars qui m'a frappé se tient à l'entrée, un pistolet Browning de 9 mm au bout du bras gauche. Une arme que je connais bien, treize cartouches par chargeur, un système fiable qui a fait ses preuves autour de la planète. Je le sais, parce qu'on avait la même dans l'armée de terre.

Ce braqueur est un amateur. Ça se sent à sa nervosité. Il a enfilé un bas nylon sur sa tête. Autant pour se cacher le visage que pour dissimuler sa propre terreur, j'imagine.

L'horloge à l'accueil indique quatorze heures treize. Je ne suis pas pressé.

Je porte mon attention vers mes voisins : une vieille dame qui gémit en agrippant son chihuahua, un monsieur qui semble s'être oublié dans son pantalon blanc, une adolescente trop gelée pour réagir. Derrière le comptoir, je ne peux pas voir, mais j'entends des voix qui s'obstinent.

— Envoye, tabarnak !

— Mais y a rien d'autre. Le coffre... La sécurité... Je peux pas...

— Je compte jusqu'à trois.

Les petits truands manquent cruellement d'imagination. Ou alors, ils pensent que les caissiers sont piètres en calcul mental.

Le gars près de l'entrée transpire si fort que ça transperce le bas à la hauteur du front. Il ne nous quitte pas des yeux, tout en jetant des regards furtifs vers la rue et en direction de son collègue qui a entamé son compte.

— Un ! glapit celui que je ne distingue pas.

— Mais je vous dis...

On sait tous que les employés n'ont pas la clé du coffre. Alors, pourquoi insiste-t-il, l'imbécile ? Serait-il analphabète ? C'est pourtant écrit noir sur blanc sur l'affiche : pas de sollicitation.

— Deux !

Il fera quoi, parvenu à trois ? Tuera-t-il son premier otage ?

L'horloge indique quatorze heures vingt-trois. Le temps file. Même allongé par terre, j'ai l'impression que les secondes passent de plus en plus vite. Si je continue à musarder sur le plancher, je vais me retrouver en retard à mon prochain rendez-vous : une juteuse installation d'un système antivol complet dans un cottage de nouveaux riches, rue Napoléon. Vu que je suis rémunéré au pourcentage, je n'ai pas intérêt à rater les meilleurs coups.

Je me lève. J'essuie la poussière de mon pantalon.

— Eh toi ! couché !

La voix rauque a du mal à projeter son ordre. Et puis, je ne suis pas son chien. Je m'approche du gars. Il brandit son arme sous mes narines. Je lui souris.

— Je dois vous quitter. Un client important m'attend. Bon courage.

— Couché, j'ai dit !

Il hésite, puis dirige le canon en acier vers mon front. Il se décide enfin à appuyer sur la détente. Rien ne se produit.

J'attrape le semi-automatique, je le lui arrache des mains, je saisis ce minable par l'avant-bras et cinq secondes plus tard, le voici immobilisé sous moi, grimaçant de douleur. La défense du pays sert au moins à ceci : on apprend à se battre et on remarque quand un imbécile a oublié d'ôter le cran de sûreté de son Browning.

— Je hurle en direction des caisses : « TROIS ! »

Un type surgit, cagoulé.

— Quoi, trois ? Ça va pas, Alain ? Tu…

Il me repère, pointe son Beretta 92 dans ma direction et tire. Je sens la balle de 9 mm Parabellum qui me frôle la tempe en rugissant. J'agrippe mon arme à deux mains, je le vise entre les yeux et je fais feu. Le projectile l'atteint au sommet de l'arcade sourcilière gauche. On nous enseigne aussi ça, à l'entraînement : enlever le cran de sûreté une fraction de seconde avant de viser.

L'excité n'est plus de ce monde.

Les clients s'affolent. Ça pleurniche dans tous les coins. Je devrais sortir de là avant qu'on m'assimile à ce duo de dangereux. Il me reste quelques minutes à gaspiller et ma curiosité a été plus que rassasiée.

Le gars que j'ai désarmé demeure paisible. Je me redresse lentement. Je m'éloigne. Je vais lui laisser sa chance. C'est agréable de ne pas être pressé.

— HÉ !

L'adolescente qui semblait dans les vapes vient de crier dans mon dos. Je me retourne en plongeant au sol. Le type dont j'ai eu pitié a sorti un vieux Smith&Wesson M39 de son manteau et commence à me canarder, mais sa sueur l'aveugle. Une seule de mes balles suffit à refroidir les ardeurs meurtrières de cet excité de la gâchette.

Je regarde la scène en hochant la tête. Je m'en vais.

Je suis un incorrigible hyperactif. J'avais une heure à tuer et il a fallu que je remplisse ce temps mort avec deux cadavres.

L'accidentophiliste

Enfant, je collectionnais tout et n'importe quoi : les timbres, les flammes postales, les emballages de sucre, les boîtes d'allumettes, les tickets de cinéma, les images pieuses et les fèves de galettes des Rois...

Il m'est déjà arrivé de suivre un touriste américain pendant une heure pour récupérer la bague du cigare qu'il fumait. Les amis et la famille alimentaient aussi mes carnets, mes classeurs, mes caisses. Avec le recul, je pense que je faisais plutôt une collection de collections.

Jusqu'à ce jour miraculeux. J'avais douze ans.

Mon cousin possédait une magnifique bicyclette rouge pour laquelle j'étais rongé de jalousie. Un après-midi, j'ai installé un long fil de pêche en travers de son parcours préféré, à un endroit stratégique en surplomb de notre chalet d'été. J'ai attendu. Il a surgi, la tête dans le guidon, pédalant avec sa fougue préadolescente. Il n'a pas vu le piège invisible et sa chute fut spectaculaire : un vol plané de cinq mètres qui s'est terminé sur le gravier de l'allée du garage. Résultat : un tibia brisé et un vélo plus bon à rien.

Tout le monde en parle encore chez nous. Bien sûr, j'avais vite caché le nylon pendant que ma tante se portait au secours de son chéri. Mais au-delà de mon geste méchant, la beauté de l'instant, sa fulgurance et son unicité m'avaient ébloui.

Ce soir-là, j'ai abandonné les étiquettes de boîtes de camembert pour l'imprévisible organisé.

Au début, j'ai tâtonné. Normal, j'étais un précurseur. Un pionnier. Je me suis amélioré avec les moyens à ma disposition. J'ai d'abord lâché des billes sur les pistes de danse. Puis, j'ai dévissé les pieds des bureaux de mes professeurs. J'ai trafiqué le four à micro-ondes de la cafétéria. J'ai dégonflé les pneus d'un camion de pompiers. J'ai glacé le trottoir devant chez mes voisins. Je prenais du plaisir à me surpasser.

Surtout, j'ai commencé à conserver des traces de mes forfaits : photos, puis vidéos.

J'accumule patiemment ces moments précieux. Je collectionne les chutes, les carambolages, les chocs et les collisions. Ceux des autres, que je provoque, que je prépare avec minutie, toujours plus conséquents, plus délirants, encore plus amusants. Règle générale, j'essaie d'éviter que des innocents soient blessés ou même tués, mais la logique de l'événement malheureux me dépasse parfois et je l'assume. Un accident est un accident.

Il est arrivé un moment où j'ai ressenti le besoin de présenter mes meilleurs éléments à un large public. Le vrai collectionneur doit rendre l'art accessible au plus grand nombre. Mon maître en la matière reste Albert C. Barnes, qui rassembla une exceptionnelle collection de toiles impressionnistes qu'il accrochait aux murs de sa villa, et qui permettait à tous de venir les admirer. Mais je ne pouvais pas exposer mes bijoux sans risquer des poursuites judiciaires. Je conservais donc mes meilleures vidéos dans un coffre.

La solution est venue d'Internet. Depuis quelques années, je place mes chefs-d'œuvre sur YouTube, où les connaisseurs les attendent, les recherchent. Ils les reprennent et les font ensuite circuler sous leurs propres pseudos.

Je peux enfin dévoiler les plus belles pièces que j'ai filmées, les partager avec des milliers d'amateurs qui les regardent encore et encore, et les commentent. La puissance du Web me fascine.

Premier exemple : tapez les mots clés « russian train crash test » dans la fenêtre de recherche de votre fureteur. Je vous laisse apprécier. Voyez ce train vert qui s'approche au ralenti sur le tapis de neige. Gros plan sur le prochain point d'impact. Et le train arrive trop vite. Les freins se bloquent. Trop tard : il brise le bloc de béton. Mais surtout, observez le deuxième wagon qui se plie en deux comme une vulgaire pinte de lait vide. Bouleversant. Magistral. Je ne m'en lasse pas. Cette vidéo est mon Tinguely, une sculpture animée, aussi puissante que fragile.

Chaque fois que je regarde la vidéo, je me sens si fier d'être responsable de ce « crash ».

Ne me demandez pas comment j'ai réussi cette merveille. C'est miraculeux. Cela m'a pris des mois, de la patience, des pots-de-vin et une bonne part de chance.

Je pourrais disserter des heures durant sur mon train russe. Mais je trépigne déjà en pensant à la vidéo suivante : « boat accident bridge too low ». Comme quoi tout se sabote, même la hauteur des ponts. Vous avez tapé ça dans YouTube ? Vous l'avez ? Le bateau ne peut plus s'arrêter... tout s'arrache.

La composition de mon œuvre est saisissante avec ce panneau au premier plan : « Holland Road » et le « Do not block » juste en dessous. L'humour magnifie cette séquence. Voyez cette grande cheminée avec son P qui bascule si facilement. On frôle la perfection. Voilà ce que j'appelle une pièce maîtresse.

Il y en a tant d'autres dont je pourrais vous entretenir : l'amerrissage à l'envers, le motard malchanceux, le planchiste volant… Chaque fois, l'accident produit un résultat hors du commun, imprévisible, précieux. Vous devez les admirer. L'effet de série ajoute du souffle.

Aujourd'hui, je prépare un événement époustouflant. Le fruit d'une longue et minutieuse quête de l'excellence et du jamais vu. Ce sera le clou de ma collection. Évidemment, je ne peux rien vous en dévoiler. Disons simplement que cet accident mettra en scène une foule de personnes lors d'une grande manifestation sportive populaire et qu'on pourra le voir en direct, aux quatre coins du monde.

Si tout va bien, personne ne sera estropié, mais tout le monde aura la frousse de sa vie.

Si tout va mal, l'impact de mon chef-d'œuvre n'en sera que plus percutant.

Noël bio

Les traditions, il ne faut pas plaisanter avec ça. On ne devrait pas y toucher, c'est sacré. Sinon, ça devient n'importe quoi. Dans notre cas, ça a été un gros n'importe quoi.

Maman nous avait invités pour le réveillon de Noël. Ça faisait cinq ans qu'elle ne nous avait pas donné de nouvelles, et là, elle envoie un courriel un mois à l'avance, avec une localisation sur Google maps. En cliquant sur le lien, j'ai compris pourquoi elle n'avait pas juste précisé l'adresse. Elle nous attendait dans le trou du cul du monde. Mais bon, Sabin et moi, on ne pouvait pas refuser. Pour une fois qu'elle se manifestait... Et puis, nous sommes tout ce qui lui reste.

Sabin, c'est mon petit frère. Enfin, petit, on s'entend : il mesure six pieds deux.

Dans le courriel, M'man avait juste écrit : « Venez les mains vides, je m'occupe de tout. Pas de bouffe, pas d'alcool, pas de cadeaux : je vous invite, mes enfants. » Ni fleurs, ni couronnes, aurait-elle pu ajouter.

Moi, c'est Ursula. Vous parlez d'un prénom, hein. Mes parents l'ont choisi en hommage à Ursula Vian, la veuve de Boris. Celui qui est mort en visionnant le film tiré de son roman *J'irai cracher sur vos tombes*. M'man a toujours adoré le côté sombre de Boris Vian, quand il écrivait des bouquins en se faisant passer pour le traducteur de Vernon Sullivan. Alors que c'était lui qui avait pondu ses polars en un rien de temps. Pour l'argent. Mais je m'égare. Ursula, c'est un prénom dur à porter au Québec. Sabin me surnommait Ourse, quand on était jeunes. J'aimais ça.

Bref, M'man nous avait invités dans un coin perdu au milieu de nulle part, en pleine montagne. Elle nous avait donné rendez-vous à cinq heures pile, sur une route de terre. On devait laisser notre voiture là et continuer ensuite avec elle. M'man a toujours adoré l'organisation. C'est une « contrôlante dominante » – tout le contraire de son chien, Zéro, qui est un labrador blond passif.

Le 24 décembre, comme prévu, Sabin m'a embarquée dans son auto à Montréal. J'avais imprimé le plan et on ne s'est pas trop perdus, même si la neige qui tombait nous empêchait de voir à plus de deux mètres. Les tempêtes, c'est bien la seule chose que les météorologues sont capables de prédire sans trop se tromper. Et encore...

— Noël blanc, *White Christmas*, a dit Sabin.

C'est un tic de langage qu'il a : mon unique frère traduit tout ce qu'il dit, alors que la majorité du monde parle mieux les deux langues que lui.

Quand on est arrivés, M'man nous attendait dans sa vieille Saab, moteur éteint. Sabin a rigolé.

— Elle doit être morte congelée, la mère. *She's frozen.*

J'ai éclaté de rire, mais comme rien ne bougeait, je suis allée voir. Un peu inquiète, malgré tout. M'man se tenait derrière son volant, avec une énorme écharpe orange qui lui cachait presque tout le visage. Elle m'a fait signe de monter à côté d'elle, à la place du mort.

— T'as pas froid ? je lui ai demandé.

M'man n'a pas répondu. La vieille écolo coupe toujours son moteur à l'arrêt. Même par -40 °C. Question de principe.

— M'man, t'aurais pu laisser ton moteur en marche. Personne ne peut te voir ici.

Elle n'a fait aucun commentaire. Sabin nous a rejointes en grimpant à l'arrière, à côté de Zéro qui a voulu le lécher.

— Bonjour, *hi*!

M'man a démarré aussi sec et on est partis.

— C'est-tu loin ? j'ai demandé.

— Surprise... a répondu M'man.

Aucun chasse-neige ni aucune autre auto n'étaient passés avant nous et le chemin commençait à se confondre avec le paysage. M'man conduisait vite, avec les lumières basses, ça dérapait ferme. Je me cramponnais tant bien que mal. La nuit nous a vite rattrapés, à cause de la poudreuse qui noyait tout.

On s'est tus jusqu'à l'arrivée, vingt minutes plus tard. M'man a planté la Saab dans le banc de neige et nous a fait signe de la suivre. Elle a sorti d'antiques traînes sauvages du coffre, qu'elle a remplies de sacs de magasinage réutilisables, fabriqués à partir de bannières recyclées. On est partis en tirant chacun notre chargement avec une corde passée autour de notre taille, comme des chiens de traîneau. On enfonçait dans la neige jusqu'aux genoux sur un sentier hyper pentu. M'man arborait une lampe frontale solaire qui lui donnait un air de chirurgienne polaire. On l'a suivie ainsi pendant trente minutes, sans avoir aucune idée de notre destination. Zéro nous emboîtait le pas.

— C'est loin, *it's far*, a remarqué Sabin qui soufflait comme un bœuf.

Dans la noirceur, on a fini par rejoindre un grand chalet de bois rond, en haut d'une colline couverte d'épinettes. Il a fallu déneiger pendant quinze minutes pour atteindre la porte.

— Tadam!

M'man a appuyé sur l'interrupteur et on a découvert l'intérieur: une grande pièce, moderne, avec une longue table et deux bancs fabriqués avec des troncs de sapins à peine dégrossis. C'était impressionnant comme endroit. Le chalet était de construction récente, avec un ameublement en bois brut au design scandinave.

— Vos chambres sont en haut, a indiqué M'man.

— Fait froid, *it's cold,* a répondu Sabin.

On se doutait bien que M'man n'aurait jamais poussé le chauffage électrique. «Hydro-Québec, c'est tous des pourris, ils harnachent des rivières pour vendre notre belle électricité sauvage aux méchants Américains. »

Il y avait un foyer dans le mur du fond, où les restes d'une bûche s'éteignaient. Sabin a rajouté du bois en masse et les flammes nous ont mis de bonne humeur.

— T'as pas décoré de sapin de Noël, M'man? j'ai demandé.

— Mon beau sapin, *king of the woods,* a entonné Sabin.

Je m'étais dit que, peut-être, pour une fois, elle aurait fait une exception. Mais non. Elle s'est contentée de hausser les épaules. M'man est 110 % écolo, bio, végétarienne et non violente. Une enragée anti-Monsanto, pro-Suzuki, Équiterrable et Greenpisseuse à l'os. Pour elle, couper un pauvre sapin sans défense à Noël, c'est comme gober des œufs pondus par des poules élevées dans un camp de concentration. Inimaginable.

M'man nous a proposé un thé et Sabin a roulé ses grands yeux verts.

— T'as pas plutôt une bière, *a beer*?

Elle lui a indiqué le frigo en soupirant. J'ai suivi l'exemple de mon petit frère et on s'est débouché chacun une bouteille d'une marque qu'on n'avait jamais vue : de la Olga, bière naturelle aux châtaignes. «Aucun ingrédient n'a été violenté durant l'élaboration de cette boisson.» Ça goûtait drôle... Une bière de clown, tant qu'à moi. Je savais que ça plairait à Sabin. Lui aussi, il a viré bio depuis quelque temps, à cause d'un de ses chums qu'a pogné un cancer du côlon en mangeant des croustilles. Enfin, c'est ce qu'il dit.

On a trinqué bruyamment.

— Joyeux Noël, *merry Christmas*!

Dehors, il faisait nuit noire. On distinguait d'énormes flocons qui s'entassaient mollement les uns sur les autres.

M'man a levé sa tasse de tisane inuite dans notre direction. Sabin en a profité pour déboucher une deuxième Olga.

— Joyeux Noël...

— *Merry Christmas*, on le sait, mon Sabin.

C'est à ce moment-là que la lumière s'est éteinte. Le frigo a vibré une dernière fois, puis s'est arrêté. La tempête venait de couper un câble. Zéro a jappé sans trop y croire. M'man l'a rassuré et est allée chercher des chandelles dans un tiroir. Elle en a allumé un peu partout. Ça a tout de suite créé une ambiance de fête.

— Mais la dinde, comment tu vas la faire cuire sans électricité ? j'ai demandé à M'man pour la taquiner.

Elle a failli répliquer, mais Sabin s'est esclaffé.

— On va la manger crue, *raw.*

— Oh toi, le bilingue, tu commences à nous tomber sur les rognons...

M'man s'est énervée, puis elle s'est vite reprise, comme si ça lui avait échappé. Ou qu'elle avait dévoilé une personnalité cachée. Elle a forcé son sourire de mère et nous a récité le menu de notre souper de réveillon : cretons sans viande sur des tranches de pain maison aux dix-sept grains, carottes râpées avec une vinaigrette au citron équitable, topinambours en papillotes cuits dans les braises du foyer, accompagnés de lamelles de tofu aux atocas et sel de Guérande, fromage de chèvre et, pour finir en beauté, une bûche de Noël sans sucre. Ce n'était pas le festin de Babette, c'était le réveillon des adorateurs du céleri.

— T'as du vin, au moins ? s'est inquiété Sabin. *Do you have wine ?*

— Évidemment. Du blanc bio espagnol. Dans le sac vert.

C'est ça que j'avais traîné et qui pesait une tonne.

Sabin a débouché une bouteille et on a trinqué tous les trois. Ensuite, on a aidé M'man pour la cuisine. Les morceaux de bouleau étaient bien secs, ils grillaient fort. On n'avait pas trop chaud, mais avec le vin, ça allait. J'ai même dû ôter ma grosse laine polaire, parce qu'après avoir râpé les carottes, j'étais en nage. Il faut dire que la râpe manquait de tranchant et que les carottes ressemblaient à des obus de mortier.

— Ils les font pousser où, pour qu'elles soient aussi énormes ?

— Sur du crottin de cheval, m'a expliqué ma mère. Vous allez voir : elles ont un goût vraiment spécial.

Je ne sais pas pourquoi, mais je n'avais plus envie de carottes après ça.

— Et ton chien, il mange quoi ? Du chou-fleur ?

— Je lui donne des croquettes holistiques, mais il est tout le temps en train de ramasser des cochonneries quand je le promène. Un vrai aspirateur.

Zéro battait de la queue. Les chiens se foutent qu'on les dénigre, tant qu'on s'occupe d'eux.

La soirée a avancé, on a mangé tranquillement, les chandelles fondaient à vue d'œil, alors on a décidé de les rationner en attendant que l'électricité revienne. Un soir de Noël, les gars d'Hydro-Québec ne devaient pas être des centaines à assurer la permanence. On les comprend, aussi. Il neigeait de plus en plus. J'ai refilé en cachette mes carottes à l'aspirateur, puis on a attaqué le plat de résistance qui n'a pas résisté très longtemps. Les topinambours avaient rétréci à la cuisson et le tofu avait calciné sous l'aluminium recyclé. On a dû se goinfrer de pain pour calmer notre faim.

Sabin a débouché la troisième bouteille et M'man ne s'est pas fait prier pour trinquer.

— À la tempête des années zéro, a lancé Sabin. *To the zero tsunami !*

Il délirait. On a enchaîné avec le fromage et la bûche : une sorte de roulé à la farine d'épeautre, parsemé de raisins secs durs comme de la roche. M'man a toujours été nulle en cuisine, mais depuis qu'elle se prend pour la réincarnation du roi du seitan, c'est pire que pire. On ne peut pas lui reprocher de bannir les chairs innocentes de son alimentation, sauf qu'une bûche sans beurre ni crème, ça ressemble davantage à une punition qu'à un dessert.

On a sifflé la dernière bouteille, puis Sabin a voulu appeler sa blonde pour lui souhaiter un joyeux Noël, mais son cellulaire ne captait aucun signal. Pas plus que le mien. M'man, vous vous en doutez bien, n'a jamais eu de téléphone portable. Les ondes, c'est mortel. On a cherché un téléphone fixe dans le chalet : il n'y en avait pas.

— On verra demain, *we'll see tomorrow,* s'est écrié notre *Robert & Collins* ivre.

Il ne croyait pas si bien dire.

Le lendemain matin au réveil, j'ai senti M'man fébrile. Je lui ai demandé si elle allait bien, si tout était correct. Elle s'est contentée de hocher la tête gravement en mâchonnant de la croûte de pain multigrain.

Sabin a émergé vers dix heures. Moi, je tournais en rond. Si je n'avale pas ma cafetière au saut du lit, je suis inopérante. En plus, j'avais essayé d'ouvrir la porte pour aller chercher du bois, mais la serrure électronique demeurait bloquée. La poignée tournait dans le vide.

— Bonjour, *good morning*! a lancé mon abruti de frère.

Ma mère a grogné. J'ai fait de même.

— On gèle ici, *it's freezing*!

— Ta gueule! espèce de traduc de mes deux.

Sabin s'en câlissait. Il a jeté une bûche dans la cheminée et s'est réchauffé les paumes.

— La porte est bloquée à cause de la neige, Sabin.

Zéro piquait un somme sous la table. M'man paraissait excédée.

— Il a bouffé toute sa réserve de croquettes pendant qu'on dormait.

— Bon, place aux hommes. *Place to the men.*

Sabin est allé jusqu'à la porte d'entrée. Il a poussé, soufflé, transpiré : elle n'a pas bougé d'un pouce. Il a cherché un bouton de secours, mais il n'en a pas trouvé.

— Merde, *shit*! a râlé le franco-angliche.

— On fait quoi? ai-je demandé à ma mère.

Elle a serré les dents pour cacher son trouble, puis m'a lancé comme ça :

— On patiente. Qu'est-ce que tu veux qu'on fasse d'autre? C'est Noël; on n'a qu'à jouer à des jeux.

— T'as quoi comme jeu : *Scrabble, Pictionnary,* black-jack?

— Non, rien.

M'man grelottait maintenant.

— Qu'est-ce que t'as?

— Rien, je te dis!

Sabin et moi, on s'est regardés... Sûr qu'il y avait quelque chose.

— Il reste quoi à manger?

— Des carottes et du pain. On a fini tout le reste hier soir. Je ne me rappelais pas que vous aviez autant d'appétit.

— C'est le grand air, M'man. Ça creuse.

— *Yes, it's creusing.*

On s'est assis tous les trois autour de la table et on a fini les carottes et le pain. Quand t'as faim, tout a plus de goût. Même ce qui pousse sur la merde.

Sabin a vérifié son cellulaire, mais aucun signal n'était apparu depuis la veille.

— Il faut quand même qu'on sorte d'ici ! Sinon on va mourir de faim ou de froid, ou des deux. *We gonna die...*

Les fenêtres ne s'ouvraient pas, alors j'ai proposé de briser un carreau et ma mère a râlé. Elle avait loué le chalet à un vieil ami et ne tenait pas à le lui rendre en ruine. J'ai insisté et elle a fini par accepter. Sabin a alors frappé les vitres avec une bûche, mais les épaisses fenêtres en verre double semblaient avoir été conçues pour résister à des balles. Les maisons modernes sont bien isolées. Le froid ne pouvait pas pénétrer et nous, on ne pouvait pas sortir.

Quand on a commencé à grelotter, Sabin a fait l'inventaire du bois de chauffage, puis il a décrété qu'on devrait bientôt sacrifier un des deux bancs. Il y avait là de quoi rester au chaud pendant les six prochaines heures.

— On n'aura qu'à lui remplacer son banc au printemps. *A new one in spring.*

M'man a capitulé et voilà Sabin en train de démantibuler le mobilier à grands coups de hachette.

— Zéro a envie de pisser, j'ai dit à ma mère en pointant son chien qui gémissait en tournant en rond devant la porte.

— Ou de chier, a complété Sabin.

Pour une fois, il n'avait pas la traduction simultanée.

M'man a été chercher une serviette qu'elle a étendue dans l'entrée en grognant des sons qui étaient censés signifier à Zéro qu'il allait devoir se soulager là-dessus. Le chien a continué à geindre. Et là, M'man a fait un truc incroyable, qui nous a tous surpris, elle la première : elle l'a frappé du plat de la main sur le museau. Paf ! Dans ta face, Zéro.

Elle l'a planté là, puis elle est allée se camper devant la fenêtre. Sabin et moi, on n'a pas osé commenter. Ça commençait à devenir tendu, notre Noël en famille.

M'man a regardé sa montre, puis elle a serré les poings et s'est précipitée sur le deuxième banc qu'elle a démoli en un rien de temps. Elle a rempli le foyer avec ce bois très sec et recouvert d'une couche de vernis. Il a brûlé vite, en dégageant une fumée dégueulasse, mais au moins, le thermomètre a remonté de quelques degrés.

La chaleur de la pièce a pris du mieux. Le crépitement des flammes nous a mis de meilleure humeur.

— Dans le pire des cas, on pourra toujours manger le chien, ai-je lancé.

M'man a grincé des dents.

— Si vous touchez à un seul poil de Zéro, vous ne ressortirez pas d'ici vivants.

Là, croyez-le ou non, on a cru ce qu'elle nous disait.

— Mais non, c'était une joke. *It was a blague.*

Vu la figure de notre mère, notre humour n'avait pas trouvé preneur.

J'ai ramassé un vieux numéro du *Devoir* au fond du bac à bois maintenant vide, je me suis assise près du foyer et je l'ai lu de A à Z. Sabin a fait une sieste et maman a farfouillé dans les placards de la cuisine. Quand Zéro n'a plus été capable de se retenir, on l'a senti, croyez-moi.

À dix-huit heures, sans rien demander à personne, Sabin a commencé à arracher un barreau sur deux de la rampe d'escalier. La température se maintenait autour de douze degrés. On avait tous enfilé nos manteaux, nos foulards et nos tuques. Mon ventre gargouillait bruyamment. Il n'y avait plus une miette à grignoter.

— Mais qu'est-ce qu'ils foutent à l'Hydro, tabarnak ? j'ai lancé.

Le silence est retombé, je me suis assoupie.

Au milieu de la nuit, j'ai senti mon frère qui se blottissait contre moi pour se réchauffer. Ma mère nous a rejoints. C'était émouvant, la magie de Noël opérait : la famille au grand complet dormait ensemble, comme au bon vieux temps où l'on avait le droit de partager le lit parental une fois par semaine. Après l'étrange disparition de mon père, on n'a plus jamais eu la permission de se coller contre M'man sous les draps. Ça l'énervait. Elle nous éjectait du lit à coups de pied.

Vers minuit, je me suis levée pour aller chercher des couvertures dans ma chambre, mais à mon retour, les deux autres avaient disparu. Chacun avait dû aller se réfugier sous sa couette. J'ai fait de même.

Le lendemain matin, j'ai été réveillée par une incroyable odeur : de la viande grillée ! Je me suis ruée en bas et là, j'ai découvert M'man qui mordait à pleines dents dans une entrecôte géante. Derrière elle, le feu crépitait : j'ai reconnu les pieds d'un lit.

— Mais où est-ce que t'as trouvé de la viande, M'man ?

Elle a arraché un morceau de chair calcinée et l'a mastiqué en me dévisageant méchamment.

— Zéro ! Tu manges Zéro ! Ton chien ?

Ses yeux fiévreux se sont plantés dans un coin de la grande pièce. Elle a marqué un signe dans cette direction. Je me suis retournée aussi sec et j'ai aperçu du poil par terre, vers l'entrée. Ça bougeait ! Zéro n'était pas mort. Je me suis ruée vers lui et j'ai découvert le chien qui rongeait un os long comme mon bras. Mon bras ! Là, j'ai eu un gros doute. Non, ce n'était pas possible. Pas elle, pas la reine des végétariennes.

— Qu'est-ce que t'as fait, M'man ? Qu'est-ce que tu manges ?

— Ton frère, *your brother.*

— Quoi ?

— T'en veux ? qu'elle a rajouté.

Elle m'a tendu un morceau noirci et j'ai reconnu le tatouage sur le mollet de Sabin : un dragon qui crachait du feu. À l'époque, ça avait énervé M'man qu'il se fasse imprimer ça sur son corps.

Elle a roté.

— Il m'énervait, ton frère, avec son bilinguisme. Et puis Zéro n'est pas bio, il bouffe trop de cochonneries.

Je suis tombée dans les pommes. Je me souviens juste que j'ai eu une seconde de lucidité où j'ai pensé : «Et si je me réveillais avec une cuisse en moins ? Heureusement que je ne suis pas aussi bio que mon frère ! Mais est-ce que je suis plus bio que Zéro ?» Ma tête a heurté le rebord de pierre en bas du foyer.

Quand j'ai émergé, il faisait nuit noire et M'man n'était plus là. À part mes dents qui claquaient, on n'entendait pas un son. Les braises rougeoyaient à peine. Je grelottais. Je me suis redressée prudemment.

Mon ventre a produit un affreux borborygme. J'étais affamée. Je n'avais rien mangé depuis quarante-huit heures. J'ai cherché une bougie, mais la dernière avait brûlé jusqu'au bout de sa mèche. Dans la cheminée, j'ai agité les braises avec le tisonnier. Un morceau de sommier traînait sur le plancher, je l'ai jeté dans le feu. Les flammes m'ont rassurée.

J'avais dû rêver. Un cauchemar comme ça, ce n'est pas tous les jours que ça arrive. Sans doute un effet de la faim. J'avais imaginé ma mère en train de manger un giga tournedos mal cuit. En plus, la viande de mon rêve provenait de la chair de mon propre frère, Sabin. N'importe quoi! Méchant buzz.

D'abord, il était où mon frérot bilingue? *Where was he?*

Les flammes tremblantes créaient des ombres pas rassurantes. On se serait crus dans une maison hantée.

— M'man? Sabin? Zéro?

Personne n'a répondu. Ils devaient tous dormir. Ils n'étaient pas en bas dans la grande pièce. Je suis allée jusqu'à la porte que j'ai essayé d'ouvrir, par réflexe: la poignée s'est enfoncée et j'ai pu la pousser. On était libres!

Je suis revenue à tâtons vers l'escalier, mais les marches avaient disparu: on les avait arrachées. Et probablement brûlées. J'avais dormi dur et longtemps. La bosse à l'arrière de mon crâne expliquait cela.

— M'MAN! SABIN! ZÉRO!

Toujours rien. Ils ne m'auraient pas abandonnée ainsi! Je suis allée vérifier que leurs bottes étaient dans l'entrée. Oui: elles y étaient, bien alignées. Alors? J'ai entendu un grattement dehors et Zéro a bondi à l'intérieur, trop heureux de se retrouver au chaud.

— Mais tu viens d'où, Zéro? Qui t'a fait sortir?

Il s'est frotté contre moi. Un peu plus et il se serait mis à ronronner.

Je suis revenue vers le bas de l'escalier. En sautant, j'ai réussi à agripper la marche la plus basse. J'ai pris appui sur le mur et, après plusieurs essais, j'ai pu grimper à l'étage. Je me suis précipitée dans la chambre de Sabin : vide ! Plus de lit, plus de linge, plus de frangin : le désert.

J'ai regardé ensuite dans ma chambre : tout avait disparu. Se pouvait-il que... ? Ce rêve n'en était peut-être pas un... ?

C'est dans la chambre de M'man que j'ai découvert le cadavre de Sabin. Enfin, ce qu'il en restait... M'man avait découpé sa jambe gauche, une joue et son pouce droit. Sûrement pour goûter. Il y avait du sang partout. Heureusement, avec le froid, les mouches n'avaient pas commencé leur boulot. J'ai eu envie de vomir, de hurler, de m'enfuir.

— Ourse ! T'es là ?

J'ai entendu M'man qui m'appelait d'en bas. Je suis ressortie de sa chambre et je l'ai vue, les cheveux en bataille, transportant des bûches. Elle portait ses chaussons et avait foutu de la neige partout.

— Ourse ! Tu dors encore ? Viens m'embrasser, ma p'tite fille.

Son imbécile de chien battait de la queue à côté d'elle.

— Mais M'man, qu'est-ce que t'as fait ?

— Qui ? Moi ?

Elle était givrée. Ça expliquait son comportement étrange depuis notre arrivée. M'man s'est mise à chanter toute seule.

— Mon bio Sabin, roi des forêts, que j'aime ta côtelette. La la la la...

Elle a sorti une boîte de médicaments de sa poche et l'a secouée. Elle était vide.

— A pus ! Y en a pus des pilules. Pus, pus, pus...

La porte s'est soudain ouverte en grand et un homme d'une cinquantaine d'années est entré, suivi d'une femme. Tous deux les bras chargés de sacs.

— Madame Vidal ! Qu'est-ce que vous faites dans mon chalet ? Qu'est-ce qui s'est passé ici ?

— Oh docteur, c'est gentil de nous rendre visite !

M'man s'est reculée jusqu'à la cheminée et elle a attrapé le tisonnier qu'elle a agité en l'air.

— Mais je n'y retournerai pas, docteur. Je ne suis pas folle, moi. Je ne veux plus manger votre bouffe pas bio. Vous voulez me tuer dans votre hôpital !

L'homme a fait signe à sa femme de s'éloigner. Il cherchait quelque chose pour se protéger, mais on avait tout brûlé en bas.

— Calmez-vous, madame Vidal ! Lâchez ce truc. Je ne vous ferai aucun mal, vous le savez.

M'man l'a traité de menteur et l'a chargé avec son tisonnier brandi comme un sabre au clair. Il l'a évitée de justesse et elle a terminé sa course contre le mur du fond où elle s'est encastrée. Le docteur en a profité pour l'immobiliser et lui arracher son arme. Il a défait sa ceinture et lui a attaché les mains avec.

— Du calme, madame Vidal, du calme.

Il s'est relevé et m'a enfin aperçue à l'étage.

— Qui êtes-vous ? Que s'est-il passé ici ?

Je lui ai expliqué que j'étais la fille de Mme Vidal, qu'elle nous avait invités pour Noël, qu'on avait eu une coupure d'électricité, alors on avait dû brûler le mobilier pour se réchauffer parce qu'on ne pouvait plus sortir.

— Mais ce n'est pas tout, j'ai avoué. Il y a aussi mon frère.

Je m'étais assise sur le rebord de la galerie en haut, les jambes pendantes. M'man avait sombré dans un sommeil profond.

— Quoi, votre frère ?

J'ai fait un signe du pouce dans la direction de la chambre.

— M'man l'a tué et l'a mangé.

En bas, les deux sont demeurés bouche bée, puis le médecin a réagi. Sa voix était à peine perceptible.

— Mais pourquoi?

Je lui ai avoué la vérité.

— Il était bio. *He was organic.*

Noël Bio *a été écrite lors d'une résidence d'auteur en Aquitaine en avril 2009, organisée par l'association L'Ours polar en collaboration avec les collectivités locales et régionales.*

Une version contée a été interprétée par Francesca Bárcenas dans le cadre des Contes urbains *mis en scène par Yvan Bienvenue, au théâtre La Licorne de Montréal, du 24 novembre au 19 décembre 2009.*

Note de l'auteur

Je tiens à remercier ici les revues, journaux et magazines qui ont publié certaines des nouvelles de ce recueil, dans leur première version.

La littérature a parfois besoin de sortir de ses frontières naturelles et il est bien que de nouveaux supports s'ouvrent à elle. Je suis toujours heureux de voir l'une de mes histoires dans un environnement dont la vocation principale n'est pas littéraire. Mes apparitions dans *Urbania, Plaisirs de Vivre, Le Devoir, enRoute* et *Victor* auront, je l'espère, réussi à toucher des lecteurs qui ne seraient jamais venus à moi autrement.

Alibis et *Mœbius* s'adressent quant à eux à un public déjà conquis à la cause des nouvellistes, mais où il est bon de côtoyer ses semblables.

Ce recueil sert à dresser un bilan de ces écritures et à en assurer la pérennité. Il force aussi à revisiter chaque texte, à réécrire encore ce qu'on avait tant travaillé.

Commande ou non, chacune des nouvelles de *Petit feu* a été produite avec la plus grande des libertés et un sincère plaisir. J'espère que mon enthousiasme vous atteindra.

A. M.

Sommaire

Table des matières